→ UNICORN PUZZLES ←

WORDSEARCH

·⇒ UNICORN PUZZLES ⇐·

WORDSEARCH

ARCTURUS

ARCTURUS

This edition published in 2019 by Arcturus Publishing Limited
26/27 Bickels Yard, 151–153 Bermondsey Street,
London SE1 3HA

ISBN: 978-1-78950-740-9
AD007481NT

Printed in China

1   Poets

```
K P Y D L E M Y N N E R V
A A Y L A F A N R E R O R
A I R P S N H A G Y V E Y
Q N R O M E G O Y T Z R A
E E E E N F N Q N J B A A
H Y B I A Z I I E L E E S
O S V W A I L P A H R P O
L E S L U F L K E N A S H
L J E L G N E R P I P E M
A S C M S E B G L U C K Y
N I D I B U G E F T T A C
D E L H S O T Y R B R H R
E O R N E W O E W G A S E
R W A H S A U T Y E S Y E
V E R V A N E L H E P A D
```

◊ BELLINGHAM ✓   ✓ GLUCK   ◊ OWEN

◊ BERRY   ◊ GONZALES   ✓ PAINE

◊ BLAKE   ✓ GRAY   ◊ PYE

✓ BOOTH   ◊ HOLLANDER   ✓ ROLLS

◊ ENGLE   ◊ LEVINE   ◊ SHAKESPEARE

◊ FLINT   ✓ NASH   ◊ SHAW

Clothing

```
I  C  N  I  S  T  E  R  P  A  G  J  I
M  A  R  I  E  P  U  U  Y  E  S  C  N
S  N  D  O  U  B  L  E  T  R  S  D  I
R  O  P  M  S  L  O  A  W  T  S  B  K
E  J  P  A  O  E  B  O  N  T  E  O  I
M  S  L  V  R  A  O  A  T  L  E  W  B
R  E  E  Z  R  K  P  H  N  S  R  L  N
A  R  G  D  F  R  A  C  S  D  A  E  H
W  F  R  O  C  K  S  T  R  E  G  R  V
G  L  E  P  A  S  M  H  H  D  N  H  G
E  T  O  D  M  R  O  F  I  N  U  A  E
L  C  T  C  O  A  N  T  N  R  D  T  M
Y  L  E  N  E  R  C  R  E  E  T  E  E
A  D  R  O  N  T  A  S  E  R  T  P  G
H  A  R  N  R  R  A  S  E  V  O  L  G
```

◊ BIKINI	◊ FROCK	◊ PULLOVER
◊ BOOTS	◊ GLOVES	◊ PUMPS
◊ BOWLER HAT	◊ HEADSCARF	◊ SHIRT
◊ DOUBLET	◊ LEG WARMERS	◊ SHOES
◊ DUNGAREES	◊ PANTS	◊ TABARD
◊ FEDORA	◊ PARKA	◊ UNIFORM

3   Scottish Clans and Tartans

```
M C E C N D E R N E Y A Y
M N C E A S T R I N A R A
E C A C D R O F W A R C L
L I C O C H R A N E R W C
L R L O F E R U K N O Y R
I S A Y R L A B T W K N A
O C R M W Q U E L H U Q B
T E T U S U U I M C E N T
B Y R E S A T O T Z R R Y
G O O L P T Y L D I C E S
G U U E L U A M A A N E E
E N P E B Z U C H D L R R
Y G M O S A T D U R R E C
A K Y L E I V A N D E R A
C D N A P E N T L A N D M
```

◊ BARCLAY

◊ BOYD

◊ BYRES

◊ CARRUTHERS

◊ COCHRANE

◊ CRAWFORD

◊ ELLIOT

◊ KERR

◊ LITTLE

◊ MAULE

◊ MCCORQUO-
  DALE

◊ PENTLAND

◊ PITCAIRN

◊ RAMSAY

◊ TROUP

◊ UDNEY

◊ WYLIE

◊ YOUNG

 7

4   Move

```
M K A R N M T F I R A G R
E Y E T S I E X T R E V E
H C U R B N G H U R T L E
E S N R T A N E Y Y F Y E
E A O U H O T A J F R Y N
G F O A O E U K U A E X S
D S T Y B B D H H N U E M
U S V I B K S A R W N N K
B N V Y L D D U C K E P T
S P S A E R O Y Z S C W E
H A W P I J U A N T A P A
I H A V R A W P E E R C J
F R E S K I P O P M U J E
T N A D O T N A L N B C R
V T V A W L Y T Z F J H O
```

◊ BOUNCE	◊ FLOW	◊ ORBIT
◊ BUDGE	◊ HOBBLE	◊ SHIFT
◊ CASCADE	◊ HURTLE	◊ SHUFFLE
◊ CREEP	◊ JAUNT	◊ SPRINT
◊ DEPART	◊ JOURNEY	◊ TREK
◊ DRIVE	◊ JUMP	◊ WALK

5   Healthy Eating

```
Q I P H L S P R D S E P O
U T T O C E N A A O N O G
I B R T A N L I L U T T G
N Y R G E A A I M P A A L
O R Z O S H V P R A I T A
A F T F W E G I P L T O S
I R O E S N I A E L C I S
T I S B R C B T P W E P V
O T E T R R D R P S O S E
R S D U N A I E E S K U H
R A F O P A B K R A K C O
A R I R C N U U S S D D N
C O T T A G E C H E E S E
S A L E F L O W E R H U Y
R A E S I A N G O L O B E
```

◊ APPLES

◊ BOLOGNAISE

◊ BROWN BREAD

◊ CARROT

◊ COTTAGE
  CHEESE

◊ HONEY

◊ OLIVES

◊ PEPPERS

◊ POTATO

◊ QUINOA

◊ RHUBARB

◊ SALAD

◊ SKIRRET

◊ SOUP

◊ SPAGHETTI

◊ STIR-FRY

◊ TROUT

◊ VITAMINS

9

6   Varieties of Potato

```
S U N S A M O R T S Y Q K
A J I U D G E R E C N R E
R E S N Y A L N U D O E D
A S C R M A Y Z I Y M D O
N F I A N N A E F X R J R
D W F Y R I A O N S A L Y
R A T O I L E M D A H M O
O O K K I K I L I N L M J
D A S O U P A N I T A S E
N C F D T E B I G E S U C
O C D I C A V D L F M E O
K E R E M A R K A O O V V
R N A R U U X O B E S R E
B T H H I R O O S T E R D
O X H D S T E R A E K O B
```

- ◊ ACCENT
- ◊ CARLINGFORD
- ◊ DAKOTA ROSE
- ◊ DRUID
- ◊ ESTIMA
- ◊ FIANNA

- ◊ HARMONY
- ◊ KIKKO
- ◊ KONDOR
- ◊ MAXINE
- ◊ RED DUKE OF YORK
- ◊ REMARKA

- ◊ ROOSTER
- ◊ SANTE
- ◊ SATINA
- ◊ SLANEY
- ◊ STROMA
- ◊ SUNRAY

7   In the Greenhouse

```
S G R E R O L E W O R T T
E J E Y P W W A H E R B S
H F T R F U R I R Z I V P
C C R U M M S U R D D F P
N C P I T I N T A E D G V
E Y L H L A N R A B L L N
B K S I M E M A E N E A O
R O A E P E I Y T S D S I
E K Z T U S H S U I A S T
V E S B S S L C A N O K A
S C O O P A C N O P L N G
J C A X B U D E S L I L I
D M P E T S U Y I R C P R
Z J L S U P U O G E P Y R
S S R M I U S H W T I N I
```

◊ BENCHES	◊ HERBS	◊ SOIL
◊ BOXES	◊ IRRIGATION	◊ STAKE
◊ CLIPS	◊ LABELS	◊ STANDS
◊ CLOCHE	◊ MANURE	◊ TRAYS
◊ GERMINATION	◊ RIDDLE	◊ TROWEL
◊ GLASS	◊ SCOOP	◊ WARMTH

"L" Words

```
L T L A S V D L L O T Y R
E E N E L E A I O I P L E
L P A U L T D L U M E K H
I M L L T D E R U O I L C
T I U E E A F L A L B O R
I L R D F E A L E Z I N U
G G U L L T A F L E I E L
A L E G U M I N O U S L U
T T E G E L I S Z U Y Y T
I L E N S I E L T R S L S
O A T I C L M T I I C E W
N B T D E L E C N R S H L
V U L N L S A V I I I F M
O O M A I L P D E M L U A
L O B L T E S A L L T E L
```

◊ LAMENT   ◊ LEVELS   ◊ LIZARD

◊ LANDING   ◊ LIDDED   ◊ LONELY

◊ LATTER   ◊ LIFELIKE   ◊ LULLED

◊ LEAFLET   ◊ LIMPET   ◊ LUMPY

◊ LEFTIST   ◊ LINTEL   ◊ LURCHER

◊ LEGUMINOUS   ◊ LITIGATION   ◊ LYRICAL

Words of Eight Letters

```
G  E  A  T  S  E  L  T  N  E  G  S  N
U  D  E  G  P  R  E  N  P  S  E  A  Y
M  I  S  T  A  K  E  N  S  C  M  D  P
R  V  K  G  A  Y  N  E  U  E  I  I  A
O  E  F  A  D  G  N  I  L  D  W  A  D
N  T  D  R  E  K  O  B  E  C  E  M  N
O  E  P  N  R  T  O  R  E  L  S  O  O
M  L  B  A  E  N  I  T  B  L  R  N  I
A  P  D  U  T  F  Y  M  B  A  C  D  S
X  M  E  S  L  B  E  V  A  I  W  S  L
I  O  C  A  A  O  S  D  B  N  S  G  U
A  C  R  G  F  A  U  K  G  N  Y  D  M
G  N  I  P  P  I  L  S  E  E  C  D  E
E  G  A  K  A  E  R  B  T  I  P  A  N
S  M  U  I  R  O  P  M  E  B  E  S  T
```

◊ ABROGATE	◊ DEFENDER	◊ GENTLEST
◊ BIENNIAL	◊ DIAMONDS	◊ GIGABYTE
◊ BREAKAGE	◊ DYNAMITE	◊ MISTAKEN
◊ COMPLETE	◊ EMPORIUM	◊ NEBULOUS
◊ DARKNESS	◊ EMULSION	◊ NOBLEMAN
◊ DAWDLING	◊ FALTERED	◊ SLIPPING

10   Dry

L	I	T	R	E	A	S	R	E	S	A	Y	O
A	R	I	D	S	U	P	K	S	L	A	T	L
Y	S	F	E	I	S	D	I	E	O	R	S	Y
R	P	S	R	U	I	U	L	P	Y	L	R	H
E	P	J	E	R	A	I	N	R	I	T	I	V
D	Z	A	R	L	Y	D	D	Y	P	K	H	D
W	E	O	R	W	R	M	R	B	E	B	T	B
O	T	R	V	C	U	A	I	D	A	Y	F	O
P	T	V	E	I	H	U	E	E	T	K	C	N
Y	S	E	D	T	F	E	D	T	E	E	E	E
P	T	E	E	R	A	J	D	L	S	N	A	D
C	M	S	O	I	E	W	F	I	R	I	R	R
A	R	C	U	I	D	B	N	W	E	A	B	Y
W	I	A	O	D	O	P	O	U	S	L	G	L
M	N	E	R	R	A	B	A	S	S	P	E	T

◊ ARID

◊ BAKED

◊ BARREN

◊ BONE-DRY

◊ DUSTY

◊ KILN-DRIED

◊ MEDIUM-DRY

◊ PARCHED

◊ PLAIN

◊ POWDERY

◊ SEC

◊ SOBER

◊ SOLID

◊ TEARLESS

◊ THIRSTY

◊ TORRID

◊ UNWATERED

◊ WILTED

Lord of the Rings

```
E I P T S N Y W O E K F U
O B H L M T E J D R C F T
S C R O E N E L L G R A Q
V K B R A L E O F A F G O
L Z I O G R B P W E L L R
U H B I O E F D H K N O Z
S I M L L S T M E R R Y
Z L L I A T G Y H L Q F I
I A A D R N B Z N R P I A
S Y N I O O T C G O J N L
J A D L T C D N Q N P D I
G E R X N R A R F D X E G
R O I E T H O T O J Q L R
F H J V O B B L J M H B E
J J Z R Y F R I L P K P B
```

◊ BERGIL	◊ GANDALF	◊ ORCS
◊ DWARF	◊ GIMLI	◊ ROHAN
◊ ELF	◊ GLORFINDEL	◊ SHIRE
◊ ELROND	◊ LOBELIA	◊ SMEAGOL
◊ EOWYN	◊ MERRY	◊ STRIDER
◊ FORLONG THE FAT	◊ MORDOR	◊ TROLL

```
M L L B R W E X R M B T T
O A F T E O E L M Q D N N
J E I F M R Q A D I S A U
W R C L A T J N K F N Y N
I E K T S H R R C V F O T
Y H L K S L H L G Z B U R
A T E U O E P G N G G B I
I E T S G S J Y H Q P S V
R R S E B S T P K E D P I
Y T V K P A S W L C H O A
S H A D O W Y I I U W N L
M I T L C T G O R S P G G
Q N F O Z A X T Y V P Y A
H B Y S R D H G O U W Y C
C M M F J F B B Y D N A S
```

◊ AIRY	◊ FROTHY	◊ SPONGY
◊ BUOYANT	◊ GOSSAMER	◊ THIN
◊ ETHEREAL	◊ MINOR	◊ TRIVIAL
◊ FICKLE	◊ PETTY	◊ WEAK
◊ FLOATY	◊ SANDY	◊ WISPY
◊ FRAGILE	◊ SHADOWY	◊ WORTHLESS

13   "DAY" Ending

```
C D N C J N S H L D J G R
V S R Z K H T H O M B Y B
I W W N A R T E C N R P M
C B E U I S V N T E Y P L
T L E B T Z S O T F E O F
O W K J G S K S D G X P E
R S E G J R A P T R Y R S
I A K L C E Z J W J I T O
A L S S F H E Y R P E D R
M L U T M T X Q M K O O F
H S J N U O H E R O G A E
E O D M A M O A G Q L Q V
P U D T D R M D R O B A L
D L N O I S N E C S A W J
H S R F M Q H W C O P E N
```

◊ ALL SOULS'   ◊ GOOD   ◊ OPEN

◊ ASCENSION   ◊ HEY   ◊ POPPY

◊ BIRTH   ◊ LABOR   ◊ SPEECH

◊ DOOMS   ◊ LUNAR   ◊ TWELFTH

◊ EASTER   ◊ MARKET   ◊ VICTORIA

◊ EMPIRE   ◊ MOTHER'S   ◊ WEEK

14   Wedding

```
O M R E P P U S D Y L U J
S F W E G V G I J U S E P
G Y K C U L K O O L H O J
N N J I W D F G M S C V P
I O A I S L E D A D R U H
R X I U F S T R F R U A U
A A W T O O E P R Q H Q C
T J A F I M J S W B C B Q
L Z E P A D N M H V E I L
A C O C B O A P K O R N V
T E K Q B R A R Y E W X C
I R N B R S O I T J I E O
A S I Y H H W R N L F M R
R R X A K H A O P K E B T
A G X D F G Y K V J H P J
```

◊ AISLE   ◊ KISSES   ◊ SHOWER

◊ ALTAR   ◊ LUCKY   ◊ SUPPER

◊ CAMERA   ◊ MARRY   ◊ TIARA

◊ CARS   ◊ POSY   ◊ TRADITION

◊ CHURCH   ◊ RIBBONS   ◊ VOWS

◊ GARTER   ◊ RINGS   ◊ WIFE

15 Theatrical

```
R E H P A R G O E R O H C
K F I D I F H V C Z V F U
N R G K K A M S Y A Z A T
G S Z N L D L Y A L P O B
R C U I I E G A W W L P S
O S C R P G J C N P L L T
S F E U Y S G U P T N D P
T I P N E O Z I M A E I W
R Q L T I S C N R R B R E
U E O E L L H S M E Q E N
M N V L F L T E A N X C X
L D T O A D A H E A U T R
X O J T L M E C G T R O D
K N I N W V P C I I J R V
Y R R E D X E O K X S L B
```

- ◊ ARENA
- ◊ CALL
- ◊ CHOREO-
  GRAPHER
- ◊ CUE SHEET
- ◊ DECK
- ◊ DIRECTOR
- ◊ END ON
- ◊ FADE
- ◊ GRIP
- ◊ LAMP
- ◊ LANTERN
- ◊ NOTES
- ◊ PLAY
- ◊ PLOT
- ◊ REVOLVE
- ◊ RIGGING
- ◊ ROSTRUM
- ◊ SIGHTLINES

18   Homophones

```
R P J S R E P N W O R G Y
S X C Y S D S G A T E I T
O T L O J A X A L A V A N
U N A D M R B J E F I Y E
E A A T X Z E E S L A J R
Y R Q O I O D R H L W X R
R L A F R O Y A T M W Y A
E Y G D E G N X E H K K B
N O H S A G R A A U A F R
O U A H E E S L R J R L A
I B B R V T E T M Y E D G
T H E A A S Y T A V U A N
A O W Y R I V N A I P H A
T P E W N O Z N S P D F H
S D B P E X N P A E R P C
```

◊ BARON   ◊ HANGAR   ◊ STATIONARY

◊ BARREN   ◊ HANGER   ◊ STATIONERY

◊ BASE   ◊ NAVAL   ◊ WAIVER

◊ BASS   ◊ NAVEL   ◊ WAVER

◊ GROAN   ◊ STAID   ◊ WALES

◊ GROWN   ◊ STAYED   ◊ WHALES

 22

19   "NEW" Starts

```
N E W D E W L J W E N L K
N R R Z N V N A A T W N R
E E X E R A A E E E O E O
W G W A T A L W W D T W Y
G N N M E I F A W N W U W
A O N E O N R E E E E E E
T M E A W O I W N Z N S N
E S W W N D N U S E W E S
N W S E E E E N G W O E W
E E G N W L W L E W E F N
W N R B W A H N H C E N B
L U O S O C A W D I E N N
I R U D R W V E W E N E W
N C P F L E E N N E N E E
E N E W D N N G L A W E N
```

◊ NEW CALEDONIA

◊ NEW DEAL

◊ NEW DELHI

◊ NEW GUINEA

◊ NEW LINE

◊ NEW MOON

◊ NEW TOWN

◊ NEW WAVE

◊ NEW WORLD

◊ NEW YORK

◊ NEW ZEALAND

◊ NEWBORN

◊ NEWGATE

◊ NEWHAVEN

◊ NEWNESS

◊ NEWSGROUP

◊ NEWSMONGER

◊ NEWSWRITER

20   Horse Breeds

```
Y W Z G E A C Y C K H X Z
S Z D G I A R A A A L T L
N T A I R P Q Z V V R E I
O A X H B K A R I A T L A
H X I A A K E S W S S Y F
G B I L H L G J W D F O X
E S M O A U G E R O N M P
E Y N W M H K E J T I D W
K O N I K U P E R I H S U
I R Z S G M D T M H D P A
A K T Q A I Q E S Z H I U
K L X A T R E U T E R T X
O M L P Z G K K E G W I O
L V W K X Z A Y A D T F I
M N X X Q I P V P U K H S
```

◊ ALTAI	◊ KALMYK	◊ RETUERTA
◊ AUGERON	◊ KAZAKH	◊ SHIRE
◊ AUXOIS	◊ KONIK	◊ SPITI
◊ BAISE	◊ LOKAI	◊ VLAAMPERD
◊ GIARA	◊ MOYLE	◊ WALER
◊ IOMUD	◊ POSAVAC	◊ WESTPHALIAN

24

```
K N D L H F V K A K L Y Z
A E F E Q E V Z W R O R E
X R S E R V I C E S N S N
B D O V H I T A X K G U M
S L C O M P A N Y I T P E
N I I C V U L H L N E P M
O H A Q Q I I J E W R O O
I C L J H L T M I T M R D
T D Q T G Q Y O S B I T S
I N S S C O H Y U T Z H I
D A Z A J U K D R R U W W
A R H N F C G J E W I A Y
R G E E X E R C I S E N L
T Y C R T T T C O U K A G
E D I R P V O Y A G E W L
```

◊ BUDGET

◊ COMPANY

◊ ENJOYMENT

◊ EXERCISE

◊ GRAND-
  CHILDREN

◊ LEISURE

◊ LONG TERM

◊ PRIDE

◊ SAFETY

◊ SERVICES

◊ SOCIAL

◊ SUPPORT

◊ TOURING

◊ TRADITIONS

◊ VITALITY

◊ VOYAGE

◊ WHITE-HAIRED

◊ WISDOM

```
H O O F A N D H O R N N N
D E H S W O C P H R O E I
B I S L A M I N A T I D M
H D K Z Z D A R G L O U A
U E L I C P U N L O I F J
M N F E O I I O W J S W N
A G V L I K M X Z E M Z E
N J E K L F O J S S R P B
S O X I N F H O T S W C T
N P P X S H M C Y I H L E
D R N P N G R M N E Y O V
M R I S M E O K S I M V Z
F G F O X D O D O W P E Y
S O W O K H L W S P E R I
A T B L U E B E L L R J B
```

- ◊ ANIMALS
- ✓ BENJAMIN
- ✓ BLUEBELL
- ✓ BOXER
- ◊ CLOVER
- ◊ COWSHED
- ◊ DOGS
- ✓ FOXWOOD
- ✓ HOOF AND HORN
- ◊ HUMANS
- ◊ JESSIE
- ✓ MOLLIE
- ✓ MOSES
- ◊ MR PILKINGTON
- ◊ MR WHYMPER
- ◊ NAPOLEON
- ◊ PIGS
- ◊ PINCHFIELD

23   Flower Arranging

```
A O M T S G F E R N S F N
W S I R N H N X Q O U D Q
F E E N R A E G I L H P E
L D T I Y Q L L N F C O R
O G P N R U U P L N N S U
R G S Z E O R W E S U Y N
A R A D S M S I D S B A Q
L E N G A G E S B B U U Z
F E D G V S T G E B Y O H
O N T V N O W U N C O H H
A E Z E P I J A L A C N X
M R K Y K E R B T R R A S
T Y L N A S J I R E H R M
D S E L B R A M W F R P A
N E W K N Y J B I K I P D
```

◊ ACCESSORIES

◊ ARRANGE-
   MENT

◊ BASKET

◊ BUNCH

◊ FERNS

◊ FLORAL FOAM

◊ GREENERY

◊ HOUSE PLANT

◊ MARBLES

◊ POSY

◊ POTS

◊ RIBBONS

◊ SAND

◊ SHELLS

◊ SOIL

◊ VASE

◊ WATER

◊ WIRING

```
Q U O D L Q U E N K H U Q
Q U E B E C Q U I N S U U
Q U S U T L U O O K A U A
K U E T U W I C U Q U K M
U U U L Q J C A Q O Q Q J
Q U C I Y U K T U Y S U T
Y R K U U S S U S Q E A Z
K Y A Q Q U A C K N C G T
R S U T U U N Q E K N M R
I A Q X A M D E N I I I A
U E U U A Q U W F K U R U
Q U G Y C Q R F Q U Q E Q
X Q U A D R A N G L E N T
U U U Z I U Y Y S S R U U
Q U U H Q R E K A U Q U Q
```

◊ QATAR   ◊ QUAKER   ◊ QUEUE

◊ QUACK   ◊ QUARTZ   ◊ QUICKSAND

◊ QUADRANGLE   ◊ QUASH   ◊ QUILT

◊ QUAFFING   ◊ QUEASY   ◊ QUINCE

◊ QUAGMIRE   ◊ QUEBEC   ◊ QUIRKY

◊ QUAILED   ◊ QUEEN   ◊ QUOIN

25 TV Quiz Show

```
Q P A N S W E R S U P T D
S U O M K N Y W O A B P F
E E I I R M F Y R T B R G
S M M Z N R O T J T C V T
N D Z E X T I P A P H I M
O U R P H C S R Q D M L V
P F I A I T I I E I H R I
S G V P B G O Z L C B O E
E O A W H S Y E H X A C E
R N L T U X M Z O S X L U
T T S N W I B F S M T F L
R W O A T U Y C T W G K F
A B Q G U A F R O U N D S
B U Z Z E R S H C I P O T
S S E N S U O V R E N E J
```

◊ ANSWERS   ◊ POINTS   ◊ RIVALS

◊ BONUS   ◊ PRIZE   ◊ ROUNDS

◊ BUZZER   ◊ QUIZ   ◊ THEMES

◊ HOST   ◊ RECALL   ◊ TIME LIMIT

◊ NERVOUSNESS   ◊ RESPONSES   ◊ TOPIC

◊ PARTICIPANT   ◊ RIGHT   ◊ VICTOR

```
D I E S A E L P S I D X C
I M P A S S I O N I V E H
R H X M R Q R K E E R V M
R L M R G T B H E G U K S
I V T A E U U H D J T C I
T E M P E R G Z L E B T N
A Y A W F T Z U E Y C N O
T Y D I K A S M Q Z L E G
E T D N C M M U T E Z M A
H G E D R A I N L D U T T
A S N U K N O F J U D N N
B P T P J R F L F N S E A
I A O O F U O Y L H Z S E
F L M F R P N X N A Q E M
E F A H C M H A G A G R O
```

◊ AFFRONT   ◊ IRK   ◊ RUFFLE

◊ ANTAGONISM   ◊ IRRITATE   ◊ STEAM

◊ CHAFE   ◊ MADDEN   ◊ STORM

◊ DISPLEASE   ◊ MIFF   ◊ TEMPER

◊ GALL   ◊ NEEDLE   ◊ VEX

◊ IMPASSION   ◊ RESENTMENT   ◊ WIND UP

27   Famous People

```
Y L M O N A M O R Y A R M
R S A I N H K N S H P M W
E J E R K D N A I R A K Y
H E E A R E S C V H G C R
S C M S L Y D I A S U I A
D E A E S R F I R R M L E
I R G Y N E M L T R Z S G
A O D M B I V I Y K V E Y
N G G F H O M E D N A C N
A L C A P O N E N U T A O
R A G R T G E O A T B R H
O Y E R A C W E R D U G T
S D E R E K A N D O N R N
S H N O M I S L U A P D A
C G R E T E J K E R E D P
```

- ◊ AL CAPONE
- ◊ AL GORE
- ◊ ANTHONY GEARY
- ◊ BONO
- ◊ CHER
- ◊ DEREK JETER
- ◊ DIANA ROSS
- ◊ DREW CAREY
- ◊ EMINEM
- ◊ GRACE SLICK
- ◊ JESSE VENTURA
- ◊ LARRY FLYNT
- ◊ MIA HAMM
- ◊ MIKE DITKA
- ◊ PAUL SIMON
- ◊ RANDY TRAVIS
- ◊ RAY ROMANO
- ◊ SEAL

```
M E T O N A R E M B S E M
M M E O W M E T M R E M S
M E L M E O B E U M E F R
E E T E M Y L L I E R Y I
M T M A E A W L D V E V O
B I X E M J E S E E M D M
R N H I X O S M M M O E E
A G N N M I R R E G M D M
N E A E O E C P E P E N S
E E E M C I K O H T K E A
M E G R E M E I A I E M E
A R E S M U S R C U C M M
F M D M E N D I C A N T T
C J F M E L K L E M E N U
Y C R E M T M E M B E R M
```

◊ MECCA

◊ MEDIUM

◊ MEETING

◊ MELAMINE

◊ MELLOW

◊ MELON

◊ MEMBER

◊ MEMBRANE

◊ MEMOIRS

◊ MEMPHIS

◊ MENDED

◊ MENDICANT

◊ MENU

◊ MERCER

◊ MERCY

◊ METAMORPHIC

◊ METERS

◊ MEXICO

29   Scottish Lochs

```
H O A R N K T E S E Z R L
D O K E N N A R D S N O P
I F W O M Z S I Q G C Y S
G O X I V W N O H H A I F
R N M A E A C C Y O C Z V
I E I K E N M H P C U S G
E C R R O L T C V H G R W
H K A O L R A A E H D O N
D B Q O O L H D Y Y L B S
L D R H Q M M O S N A Y R
L R S A A Z L E T I N M A
A I C D N N C L G A O K C
E A H E E D V F E O R B C
M D E S Y V Y O R H I T N
O H S K D D W B O Q X L T
```

◊ BAREAN

◊ BOISDALE

◊ BRANDY

◊ BROOM

◊ EISHORT

◊ FLEODACH COIRE

◊ FYNE

◊ GOIL

◊ HELLMOOR

◊ HOURN

◊ HOWIE

◊ KENNARD

◊ LOCHY

◊ MEALL DHEIRGIDH

◊ NESS

◊ RONALD

◊ RYAN

◊ VAICH

```
L C O N T L E E X M B L E
R L I R Q G B K X R N R L
E S I R M M K O A D Y Z D
H A O R A Y I I X B R D D
E U J L G Y S X E L C Q O
A S F L H E R E J H O S C
T E L E Q C L F A I G M D
J R N R V B F S R I Y O J
W E T S M A S D W I Q K Y
J D T A O E W U S E T E A
D U R S U O S O L H A S E
N C E R A B R C R D S T S
S E H C A O P D H C G O U
X E T A N I R A M V I K O
X X H W W J U L U O F M S
```

◊ BAKE   ◊ MARINATE   ◊ SCRAMBLE

◊ BRAISE   ◊ MICROWAVE   ◊ SMOKE

◊ CHASSEUR   ◊ POACH   ◊ SOUSE

◊ CODDLE   ◊ REDUCE   ◊ STEW

◊ FLAMBE   ◊ REHEAT   ◊ STIR-FRY

◊ GRILL   ◊ ROAST   ◊ SWEAT

```
E C N E U Q E S E R E T S
T D S E D P I Y F R D Y V
T C I Q R A L B O Q C T I
H O E V I E R C E M N P F
S T H F I T S G A E A U L
I B C S F J N P M Y H R D
O D S U P E Y E O A U A K
O U S I D U U F X N J P J
E F T V X O F A I S S S A
A I P C N L R L E W L E U
O N Y E O X M P O E D F U
V I D Q M M R Z F R U I T
P S X A F T E R M A T H N
W H L N G P U D N I W T K
Q A Y G N I D N E A W U V
```

◊ AFTERMATH   ◊ FRUIT   ◊ PRODUCT

◊ ANSWER   ◊ GRADE   ◊ RESPONSE

◊ DENOUEMENT   ◊ ISSUE   ◊ SCORE

◊ EFFECT   ◊ MARK   ◊ SEQUENCE

◊ ENDING   ◊ OUTCOME   ◊ UPSHOT

◊ FINISH   ◊ PAY-OFF   ◊ WIND-UP

```
A  R  G  O  A  R  G  N  N  M  E  I  L
A  E  X  T  R  A  W  E  T  E  D  X  M
K  I  J  T  Z  X  O  H  R  R  N  L  B
K  Q  X  E  I  V  R  I  O  S  P  I  L
N  T  T  G  L  M  K  C  P  T  A  Y  J
F  T  E  H  C  T  E  K  S  A  R  E  G
E  B  N  L  M  R  R  S  S  N  G  N  D
B  W  I  D  E  U  J  W  N  D  U  Q  E
G  L  O  B  E  G  P  G  M  A  S  U  M
M  L  P  E  V  M  R  Q  I  R  Z  I  P
T  A  A  O  L  A  E  A  R  D  I  R  M
A  R  I  C  A  A  S  C  P  P  S  E  T
R  C  L  L  N  S  S  S  H  H  O  R  H
E  O  R  E  V  R  E  S  B  O  P  S  N
B  B  I  G  K  Q  C  F  Q  N  F  A  T
```

◊ ARGUS	◊ MAIL	◊ SPORT
◊ ECHO	◊ OBSERVER	◊ STANDARD
◊ ENQUIRER	◊ POST	◊ TELEGRAPH
◊ EXTRA	◊ PRESS	◊ TIMES
◊ GAZETTE	◊ RECORD	◊ VOICE
◊ GLOBE	◊ SKETCH	◊ WORKER

33   Affirm

```
I D I W H I E D U W R H W
R E S T X C D E F E N D O
P T P U I I U P R G K Y V
M R C Q T P D O G G F E A
R E W V N F F S V I A W B
I S T C A C H E T D Z S E
F S G A R Q M S P E N U E
N A D H R Y E R R V L P G
O R E V A T O U J F E P E
C A R J W N S P N W R O L
O A N A O N U N L Y A R L
U H M U E K Z B O Z L T A
S Y N Q C W G Q H M C W E
U C I A E Z S U D B E Q U
E E B H K B K G L K D D H
```

◊ AGREE   ◊ CONFIRM   ◊ PRONOUNCE

◊ ALLEGE   ◊ DECLARE   ◊ SUPPORT

◊ ASSERT   ◊ DEFEND   ◊ SWEAR

◊ AVER   ◊ DEMONSTRATE   ◊ TESTIFY

◊ AVOW   ◊ DEPOSE   ◊ VOUCH

◊ BACK UP   ◊ ENSURE   ◊ WARRANT

```
P E P C C K T P U V B H E
S N S B P I R P R P P Z A
F C A F A T N W A R I P H
P O L Y P Y E A T R A T T
P P M P T Y F L P P Y Y N
R E H C A E R P G E B O S
Y N R P L A G U E I H N D
I C B S T C D Y P T P O A
N I A P O E A P Y W H T Y
G L B C D N P P Y P P O P
P U L P I T A P L I G H T
U L V R D P D L U T V P F
Q H U D J J D O I P S D P
U T Y T P V L U R T K E T
P E A P O P E C S O Y U P
```

◊ PADDLE
◊ PANIC
◊ PENCIL
◊ PERSONALITY
◊ PHOTON
◊ PIGLET

◊ PLAGUE
◊ PLIGHT
◊ PLUTO
◊ POLYP
◊ POPPY
◊ PREACHER

◊ PRIZE
◊ PRYING
◊ PSALM
◊ PULPIT
◊ PUPPET
◊ PYTHON

35   Weeding

```
S Y C H W T R S V U S T B
I B N B E E J L E Y D L X
L E L O V N N U R R A Z E
A A F O Y G B M W C A Q Z
X A L M N R I A K M G T N
O C S S O M B B N R L P H
S T E N G F E E O E I U Y
E Y R D E R L U M D O C K
I X C O R T N Z A H F R J
S P I Y W D T S Y M E E L
I V I R I G L L W N R T E
A R E V M O A X E N T T R
D G Y T K C L R E S F U R
N A G S C Q U P D R G B O
S S A R G H C U O C C K S
```

◊ BLACKBERRY   ◊ DOCK   ◊ OXALIS

◊ BRYONY   ◊ GROUND IVY   ◊ RAGWORT

◊ BUTTERCUP   ◊ HENBANE   ◊ SORREL

◊ CLOVER   ◊ MAYWEED   ◊ TARES

◊ COUCH GRASS   ◊ MOSS   ◊ TREFOIL

◊ DAISIES   ◊ NETTLES   ◊ VETCH

Words Starting "ILL"

```
I L L E R C I G M K L L I
D E L B I G E L L I L L I
E I L L T I M E D L L I G
F E I L L U S I O N O N I
L D B A T Y I K L X I L R
L U W G H I C Q I T L K I
I L S E L U C L T N K L L
F L V L L L I E B L D D
A I U L C W F S L U V E P
S S L I I L S R S L R T I
E I I L L Y R I A B I A L
L H L I F U V C L A H F L
L U J K L E F L T L U L U
I I L L Z L I C L L I L M
E T A M I T I G E L L I E
```

◊ ILL LUCK   ◊ ILL-FATED   ◊ ILLUDE

◊ ILL WILL   ◊ ILL-FED   ◊ ILLUME

◊ ILL-BRED   ◊ ILL-FITTING   ◊ ILL-USE

◊ ILLEGAL   ◊ ILLICIT   ◊ ILLUSION

◊ ILLEGIBLE   ◊ ILLNESS   ◊ ILLUSIVE

◊ ILLEGITIMATE   ◊ ILL-TIMED   ◊ ILLYRIA

37   Boats

```
C O W L D W C E H I B L Z
Y D A W H E R R Y V A T E
W L O A L W W G H K A G H
G B L Y M N A C V O R H Q
C E H H L L T V B A P Q R
R V L O I E W P B D H O W
D E S O K T M A R W M E N
C R T A D I L D C T O H N
H Y S T R A I M D S K C S
L P I H U T N R S Q Y R S
K O S W E C E M E R I R T
V V R J Z D R U R J C N N
V T U C G Z W P X Q U Y A
I U U E H X I U W P U N R
G J R G D A T V J V H D K
```

◊ ARK

◊ BARGE

◊ CUTTER

◊ DHOW

◊ DREDGER

◊ GALIOT

◊ JUNK

◊ KETCH

◊ LINER

◊ LORCHA

◊ PUNT

◊ SCOW

◊ SHRIMP BOAT

◊ TRIREME

◊ TUG

◊ WHALER

◊ WHERRY

◊ YAWL

38   "ABLE" Endings

```
E L B A R U C N E E B L E
B L A B L E L L E L A L E
E L B A N U B E L B B N L
S E L B A A L A B A H E B
P B U A D D V F A T A L A
A A E A B M C I F O A B H
L F E L S I Z R G P E A C
P R F Q B R I R S A L E A
A E A A H A B I T A B L E
B M B B B B R T E B A L T
L E I L L L Y A L L S A E
E H E A E E E B P E I M I
E Q U A B L E L B A D A T
E L B A A L T E R A B L E
E L B A C P E Y F A B L E
```

◊ ADMIRABLE   ◊ EQUABLE   ◊ PALPABLE

◊ AFFABLE   ◊ FRIABLE   ◊ PARABLE

◊ ALTERABLE   ◊ HABITABLE   ◊ POTABLE

◊ AMIABLE   ◊ IRRITABLE   ◊ READABLE

◊ CURABLE   ◊ MALLEABLE   ◊ TEACHABLE

◊ DISABLE   ◊ NAVIGABLE   ◊ UNABLE

39   In the Park

```
S A C S R O W S L R X T C
L M I N H F H K A O M E N
E T N A N T I A W J S E U
R R C W N S A N N E E J S
R Z I S T L O P S R I D S
I X P R E I Z O G P R E C
U G O E L M R G D I H L G
Q P K I D S N M B O R P C
S W V K Y I I D X L G O H
V A N G L S W M E C E E J
P R G W T P G W N F K P D
L T O A K V O O T S A D P
R B T I F A S N D E L C D
T U P V D U Y S D U C K S
E F H Q S E J G P S R B L
```

◊ BIRDS

◊ BOWLING
  GREEN

◊ CAFE

◊ DOGS

◊ DUCKS

◊ KIDS

◊ LAKE

◊ LAWN

◊ PATHS

◊ PAVILION

◊ PEOPLE

◊ PICNIC

◊ PONDS

◊ ROSES

◊ SPORTS

◊ SQUIRRELS

◊ STATUE

◊ SWANS

```
S V R G X Z E Z E U W A C
S I K R I C V L Z S O E J
R P V E L R B T T S U R O
Q O R V S B C N A L N A Z
Q E I E A O N S T B A F F
M L Z R P A Q O P W O K I
Q Y C S I I P R O F W O R
H S T I E J E R W X P S A
T I L H N T J Y E E G S B
S U J E S U G O R O K U P
H M D I T C F A G I Q R C
O U W I H O T T R Q S H B
U T A L X I H J I D E K U
T M X L O I L N D S U I L
Q A K N L P T O S N G M A
```

◊ CHESS

◊ CIRKIS

◊ DIXIT

◊ ELYSIUM

◊ HOTEL

◊ MYTH

◊ OPERATION

◊ POWER GRID

◊ REVERSI

◊ RISK

◊ SAPIENS

◊ SCRABBLE

◊ SHOUT!

◊ SORRY!

◊ SUGOROKU

◊ TABOO

◊ TSURO

◊ TWISTER

41   Train Ride

```
S  M  J  I  B  Z  D  O  V  F  S  F  Y
B  T  S  E  R  A  F  H  U  Y  K  B  S
Q  S  N  F  E  R  U  T  R  A  P  E  D
E  S  S  E  M  F  N  O  U  S  M  I  E
B  E  V  A  M  E  T  U  O  R  Q  E  L
U  D  C  H  L  E  F  P  H  E  O  U  T
F  J  R  I  S  C  C  W  H  E  E  L  S
F  I  E  L  V  J  T  N  S  T  R  U  I
E  M  I  L  T  R  Y  S  U  E  N  T  H
T  A  L  F  G  S  E  T  R  O  A  K  W
R  E  V  I  R  D  R  S  E  I  N  T  M
O  F  F  P  E  A  K  O  G  K  F  N  S
H  U  C  H  V  M  R  N  O  P  C  P  A
A  B  M  E  U  J  V  J  K  D  D  I  Q
N  M  L  U  G  G  A  G  E  N  X  Z  T
```

◊ ANNOUNCE-
  MENT

◊ BUFFET

◊ DEPARTURE

◊ DOORS

◊ DRIVER

◊ FARES

◊ FIRST CLASS

◊ LUGGAGE

◊ OFF-PEAK

◊ RAILS

◊ ROUTE

◊ RUSH HOUR

◊ SEATS

◊ SERVICE

◊ TICKET

◊ TRAVEL

◊ WHEELS

◊ WHISTLE

42   "FOOT" First

```
P  L  A  T  E  I  O  R  X  B  B  S  D
M  S  K  X  P  U  E  K  A  R  B  Q  A
E  I  I  H  G  E  S  T  I  E  R  S  P
S  Q  N  N  L  I  J  D  S  O  W  C  R
O  H  T  A  B  S  G  G  T  Z  H  Z  F
O  U  H  N  X  E  N  C  Y  E  W  T  F
L  W  E  C  U  I  O  M  R  H  R  R  M
W  S  D  U  G  D  Y  O  R  E  D  O  A
M  Q  O  G  S  P  S  A  G  E  S  V  R
Q  A  O  X  Y  T  T  N  E  X  S  D  S
T  L  R  P  F  M  E  R  I  T  A  T  R
S  X  U  K  U  S  E  P  Q  A  H  A  S
X  U  W  Y  S  R  M  Z  S  G  Q  I  M
Z  T  R  A  Q  C  X  H  I  L  L  S  F
R  F  P  Q  Y  X  P  L  N  R  U  O  R
```

◊ BATH

◊ BRAKE

◊ BRIDGE

◊ DOCTOR

◊ HILLS

◊ IN THE DOOR

◊ LIGHTS

◊ LOOSE

◊ MARKS

◊ PAD

◊ PASSENGER

◊ PLATE

◊ RESTS

◊ SLOGGING

◊ SORE

◊ STEPS

◊ WAY

◊ WEAR

43   News

```
X W F N N E W S R O O M P
E M G I O D H O D P Y R D
T N E M N I A T R E T N E
O R M C E A S H X L U L B
U E A O I D N S O C D T F
Q T N V F W I C U O I H Q
S A A E E S A A I C E W E
F D L R L L E D Z A S T V
Z P Y A N F A C L V L I F
B U S G N R Z T R J C E D
S B I E Y I H Z S U G O R
K E S K P P Y N A M O B H
L A W A N D O R D E R S F
C S T E K R A M K C O T S
E N E E C N E I C S H B R
```

◊ ANALYSIS

◊ COVERAGE

◊ DISCUSSION

◊ ENTER-
TAINMENT

◊ FINANCIAL

◊ HEALTH

◊ LAW AND
ORDER

◊ LOCAL

◊ MEDIA

◊ NEWSROOM

◊ QUOTE

◊ RADIO

◊ SCIENCE

◊ SOURCES

◊ STOCK
MARKETS

◊ TRAVEL

◊ UPDATE

◊ WORLD

44   Countries of Asia

```
X T Q S I A T F N A M N J
A G A U F Y G I D N P P L
I V T I A H Z D A S K A N
D W A I W S X D D W P F K
N U R A B A R I S E U I O
I Y C F I O N I N O E K R
S Q L H J S F L L L A G S
B X L A I Q S I O A D E T
B S E M G N T U I I N Z X
A U A R V Y A U R S Z K H
H I R U Q V M A R X J U A
R U S B Z K N S B K M H O
A P I O X G V J M E E M G
I H Q Y A Y Y Q Q H A Y X
N J B G H L F I E N U R B
```

◊ BAHRAIN   ◊ ISRAEL   ◊ QATAR

◊ BRUNEI   ◊ JORDAN   ◊ RUSSIA

◊ BURMA   ◊ KUWAIT   ◊ SRI LANKA

◊ CHINA   ◊ LAOS   ◊ SYRIA

◊ INDIA   ◊ NEPAL   ◊ TAIWAN

◊ IRAN   ◊ OMAN   ◊ TURKEY

45   Shopping List

```
N E R E B Q M G Z B V O P
O P Q F A Y M J P E V V T
M W V C T I S S U E S E L
L K A E T S O Q P R Y N P
A H N M E N E K C I H C P
S D M H R O X A E S C L S
W Z A T I W N A L R N E U
I S E G E M B I F B D A S
N U R T S E M S O O Y N C
E B C I A A Q Q G N M E H
M B U H H T S N U G S R N
K I T C H E N T O W E L S
P E L S B A Z A T S A P L
F R Q K B G Q W R T W Q A
S R E P A P G N I T I R W
```

◊ BATTERIES

◊ BEER

◊ CHICKEN

◊ CREAM

◊ EGGS

◊ HAM

◊ KITCHEN TOWELS

◊ MEAT

◊ MILK

◊ ONIONS

◊ OVEN CLEANER

◊ PASTA

◊ SALMON

◊ SPICES

◊ STEAK

◊ TISSUES

◊ WINE

◊ WRITING PAPER

49

```
L N S I X M F E A K O X B
U I O Q P N R F L M I G M
S G N I L K C U D A K E A
C R O S S T O I F G S H L
R H O H K S H Y O K C Z D
T R I A L L A O R S L O E
E V L C M H D P I G A Z D
K L B Y K F S T B G S X A
S I Z M R D B S B E T A R
A R R I O Y I L O P S K A
B P D H J T L T N L U F P
D A S X E A V I D V P H O
Y I M L S R Q V L A P E S
F S I U U T E U L N E D B
A H Q G S A O M M Z R A V
```

◊ APRIL   ◊ FISH   ◊ PALM

◊ BASKET   ◊ GOOD FRIDAY   ◊ PARADE

◊ CHICK   ◊ JESUS   ◊ PASSION

◊ CROSS   ◊ LAMB   ◊ RIBBON

◊ DUCKLINGS   ◊ LAST SUPPER   ◊ TOMB

◊ EGGS   ◊ LILY   ◊ TRIAL

47   Perfect

```
G C E N E C T C A X E W H
P E E R L E S S P W I J I
Y Y J Y U U N M A R R E D
D F A W F P O H L N T T E
M E I L P R E C I S E A L
O M C N U H Z A M J X M B
D B H N I F B E R V T M A
E S Y D E S R T C J B U C
L G E L O I H E Y M O S C
E A B L F O R E D I O N E
L N U P R F X E D N K O P
Q T T O B B G O P T O C M
E H U I U I Y P I X E W I
P G R N R C O M P L E T E
H I I D V E U R X X Y P Y
```

◊ ABSOLUTE   ◊ FINISHED   ◊ PRECISE

◊ COMPLETE   ◊ IDEAL   ◊ PURE

◊ CONSUMMATE   ◊ IMPECCABLE   ◊ TEXTBOOK

◊ ENTIRE   ◊ MINT   ◊ THOROUGH

◊ EXACT   ◊ MODEL   ◊ UNMARRED

◊ EXPERIENCED   ◊ PEERLESS   ◊ WONDERFUL

48   Ancient Cities

```
E N E R Y C S W T C P D A
R E S T A I D X N S Y I I
V T N U N R A N G K O R D
A N B A L J F A N S S T U
Z C T K P H R H I R G Y A
T E O S A T P L F O E O L
I I Q P E B O B R Q T S C
N B W P A P A T G B L R O
E A K A A N Y H O H Z J L
H L K R N N S U S E H P E
C J E Z A A T K K C T U A
I I B T T L K M F R Z V B
H J I F F R T U K O S V M
C H F I A S O R I M A K B
G A R A D A G Y R E J Z F
```

◊ ANGKOR

◊ BAELO
  CLAUDIA

◊ CEIBAL

◊ CHICHEN ITZA

◊ COPAN

◊ CYRENE

◊ EPHESUS

◊ GADARA

◊ GORTYNA

◊ HIERAPOLIS

◊ KABAH

◊ KAMIROS

◊ LABNA

◊ PETRA

◊ ROME

◊ TANIS

◊ TIWANAKU

◊ TROY

49 Escape

```
Z E V A E L H C N E R F Q
D I O V A L B Z U L D Q L
E F A N B M O J O U E S E
O D F L S B A P E D S R X
E Z X C C J O K E E T K H
N M N A O B X L E G I T A
E Z G L N B Y J X O A N U
O H G C D A C J V S F V S
B T E L W M A Y V B P F T
O N L A D E E B Q O Y Z P
H V T O D T C E F E D M A
F E J O B R E A K O U T T
G L D C K Z N V Q J E M X
W G E T N E V M U C R I C
E B Q E D I S A P P E A R
```

◊ ABSCOND
◊ AVOID
◊ BOLT
◊ BREAK OUT
◊ CIRCUMVENT
◊ DEFECT

◊ DISAPPEAR
◊ DODGE
◊ ELOPE
◊ ELUDE
◊ EVADE
◊ EXHAUST

◊ FLEE
◊ FRENCH LEAVE
◊ GET AWAY
◊ JUMP
◊ LEG IT
◊ MAKE OFF

50   Lights

```
M H U B J W N N K D E S L
R A T S O T Y V W F B T E
Q D G L O E J T E A T T Z
D Z G R J B A E J W D A A
Q M C R N P J G S Q A W L
T H Z Q E N O A H F Q M B
S C A R O R G T I Q K R Z
U B E A C O N L N C I Q M
Z I D P U O N O E G T A L
N E O N C R C V H L E C F
W K O Q A P O T S L R H L
Z O A R N Q Y R G B N R A
M O T E D E C N A I D A R
H Z R D L Q W C S M F U E
Y Q H W E R T L Z E F P S
```

◊ AURORA   ◊ FLARES   ◊ SHINE

◊ BEACON   ◊ GLEAM   ◊ STAR

◊ BLAZE   ◊ GLOW   ◊ TAPER

◊ BRIGHT   ◊ MOON   ◊ TORCH

◊ CANDLE   ◊ NEON   ◊ VOLTAGE

◊ DAWN   ◊ RADIANCE   ◊ WATTS

51   Dragons in Myth and Story

```
P U B C Z U X I K U N O S
F D H A R E G A B R Z X G
F G N O G O R D B O T T G
A K T V O I T A M A I T O
R R M M H J K D U L C Y H
A J I P Z U T R D D N H D
N P A N N O R B E R T A I
T S L A F R A G A H V Z N
H W W A Y A Y M H N N O R
C A W N D Q F P A L I M M
D O F O X O H G A R U O L
S C U L T O N E E I H K D
G R I S U B B S R M S R V
O W F J H B I V G N U P Z
Q R Z L S V L G U A M S B
```

◊ BAKUNAWA   ◊ IMOOGI   ◊ SCULTONE

◊ DROGON   ◊ LADON   ◊ SMAUG

◊ DULCY   ◊ MUSHU   ◊ TIAMAT

◊ FAFNIR   ◊ NIDHOGG   ◊ VHAGAR

◊ FARANTH   ◊ NORBERTA   ◊ VISERION

◊ GRISU   ◊ SAPHIRA   ◊ ZOMOK

```
F  A  I  J  E  A  W  R  M  P  H  U  G
O  I  A  E  A  R  V  S  F  E  R  R  O
K  G  R  E  E  N  L  A  N  D  A  V  S
O  R  I  S  P  E  N  Y  R  N  A  D  E
I  O  U  D  H  E  I  S  C  B  E  L  L
B  E  Q  Q  L  L  C  A  E  S  S  A  V
A  G  B  E  G  I  N  D  E  G  M  P  S
O  H  H  Z  L  A  R  R  S  Y  F  A  N
K  T  J  L  R  E  T  Y  U  O  A  L  E
S  U  Y  I  V  A  C  L  I  R  R  M  G
I  O  A  E  S  V  I  A  O  C  O  A  A
D  S  P  I  F  O  I  T  I  F  E  O  V
Q  A  I  S  E  O  I  H  A  S  S  N  L
C  O  R  V  O  A  G  O  M  E  R  A  E
U  R  V  Q  B  X  I  O  D  L  L  I  S
```

◊ BIOKO

◊ BRAVA

◊ CAPE VERDE

◊ CORVO

◊ DESERTAS

◊ DISKO

◊ FAROES

◊ FERRO

◊ FOGO

◊ GOMERA

◊ GRAN CANARIA

◊ GREENLAND

◊ LA PALMA

◊ MAIO

◊ SCILLY

◊ SELVAGENS

◊ SOUTH GEORGIA

◊ ST HELENA

53   Perfume

```
H E T H V O W S E I L I L
I U F E T N A P H Y O R G
G L R N S N M K W T G R F
P Q U G B B I S M U T S R
T U C O E R Y C D O A X U
Y N F L H D C E A N S J I
L E E O R C H I D Y A S T
A X E C T J T A T B H B Y
N V T S S G L A L R G U R
G I Q T S W B U P S U O C
Y O C A O E E Q P A D S R
L L C O R B N I M U S K O
A E D D E O C C R A E S S
N T B L O E M Y E C H L E
G S L R S J C A S B Z A S
```

◊ AROMA   ◊ HYACINTH   ◊ ROSES

◊ BLUEBELL   ◊ LILIES   ◊ SANDALWOOD

◊ CITRUS   ◊ MUSK   ◊ SCENT

◊ COLOGNE   ◊ OAKMOSS   ◊ SPICES

◊ ESSENCE   ◊ ORCHID   ◊ VIOLETS

◊ FRUITY   ◊ PATCHOULI   ◊ YLANG-YLANG

```
I H E C O R W S E R C N E
X F L C I M C S E D P M V
O R E G A N O R V N J I I
L R M J D M N A E F N F D
E U A Q F U Y A K G O A N
M C U S T O T H M P N N E
O A U M I K N E O O X I Y
N P E R F L X S F D N S G
B G M J R F S T O I U E D
A N N U E Y A H O L T R S
L R B N H F V B J L A Y E
M F N I N B O J A T S U S
L E K P A B R Z S S N E A
L G E E U Q Y U R U I P M
E F C R L K M K W G E L E
```

◊ ANISE   ◊ FENNEL   ◊ MUSTARD

◊ BASIL   ◊ GINGER   ◊ NUTMEG

◊ CINNAMON   ◊ HYSSOP   ◊ OREGANO

◊ CURRY   ◊ JUNIPER   ◊ SAVORY

◊ DILL   ◊ LEMON BALM   ◊ SENNA

◊ ENDIVE   ◊ MACE   ◊ SESAME

55   Military Aircraft

```
A H R E T S A C N A L Y Y
M K M V I C T O R J T C A
U I U E A J A A R N T E R
T N R T R B U T N E X I V
T I K A S I D H A T C M D
A L A A G B P X U L O P T
S E O Q X E E M A L I C R
P V S B N P N N A V H N I
I A L D R A N D O V Z H A
T J P E C E A O O R G A S
F L J L K C D B M R D R R
I Z U A I O E N U T M R O
R V R J O I E A U D R I C
E D E K M G N N J H T E N
T N U R E T N U H F T R F
```

◊ CATALINA

◊ CORSAIR

◊ DRAKEN

◊ DRONE

◊ HARRIER

◊ HUNTER

◊ JAVELIN

◊ LANCASTER

◊ MIRAGE

◊ NIMROD

◊ SPITFIRE

◊ STUKA

◊ THUNDERBOLT

◊ VAMPIRE

◊ VICTOR

◊ VIXEN

◊ VOODOO

◊ VULCAN

Coughs and Sneezes

```
Y K W N E N I C I D E M Y
Q A Z Y R O C D H C C E X
E S O N D E R U A O P O F
Y T I S S U E S N P H E A
G D U U O A K T D U I T Z
R F E S M Z O V K R N A R
E S T H S S M B E Y H R V
L S T J C I S D R S A O W
L S E N A A S H C H C T V
A U I G J I D I H T K C G
V R O R N O C A I Z I E S
Q I C X Y E M M E V N P A
R V O A W J Z Z F H G X F
X N L N G S R O U L Q E I
B L D N O I T U L L O P T
```

◊ ALLERGY

◊ ASTHMA

◊ COLD

◊ CORYZA

◊ DUST

◊ EXPECTORATE

◊ HACKING

◊ HANDKER-
CHIEF

◊ HEADACHE

◊ LOZENGES

◊ MEDICINE

◊ POLLUTION

◊ RED NOSE

◊ SMOKE

◊ SYRUP

◊ TISSUES

◊ TUSSIS

◊ VIRUS

57   Beauty

```
P Q B C E A R A C S A M B
R O R R I M N H F M E D R
M B V F W C S A A K K S U
E F Y D C H C E R P X L S
H Y X G A I R W E X O K H
N S E M A C R D Y O S C E
C T P L B M I R R E R A S
N O S C I C N A D Q O P G
O R F I U N S D R P S D R
L X O R L O E S I E S U O
A N E L J Y W R A R I M O
S T G U L I T K H F C W M
L S K F D E T S R U S X I
M A K E U P R I B M I C N
Y D V X X V F S W E M G G
```

◊ BRUSHES   ◊ MAKEUP   ◊ RINSE

◊ CREAM   ◊ MASCARA   ◊ ROLLERS

◊ EYELINER   ◊ MIRROR   ◊ SALON

◊ FACIAL   ◊ MUD-PACK   ◊ SCISSORS

◊ GROOMING   ◊ PEDICURE   ◊ SHAMPOO

◊ HAIRDRYER   ◊ PERFUME   ◊ STYLIST

58   Michaels

```
Q Q V D S B E E A H D G P
F E U R L Q R P K O M S A
M U E O K D E H L O C X K
J Y T F S D N E T L D X G
M A S W E K N V A N O E S
H Y Q A E Z I K N R N M T
C O G R H R W A R Y A V T
I R O C V E H O C M L O R
T K M I L A S J M M D E N
S R N C R P S E Y D D U O
P E H T C H A L L G V G B
S I S Y N L W H R T J R M
G D U S H U U A E N I Z A
I W G O Z K V R L X X N G
C W J N U E V T E H P S E
```

◊ CRAWFORD   ◊ MCCLURE   ◊ STRAHAN

◊ DOLENZ   ◊ MCDONALD   ◊ TODD

◊ GAMBON   ◊ MYERS   ◊ TYSON

◊ HALL   ◊ REDGRAVE   ◊ WELCH

◊ HESELTINE   ◊ REID   ◊ WINNER

◊ IRVIN   ◊ STICH   ◊ YORK

```
E  S  T  R  A  W  E  K  Q  J  W  X  R
O  N  F  Q  M  I  T  V  Z  O  R  A  E
I  B  L  A  D  S  D  O  Q  L  G  N  G
I  V  U  D  B  T  T  X  T  A  Z  R  A
N  F  A  A  W  M  Y  E  M  Y  H  Z  N
F  I  K  E  B  L  U  P  C  N  L  E
A  R  E  X  A  I  F  T  H  S  I  I  E
N  M  R  B  N  F  M  I  A  P  O  P  T
T  I  I  E  I  K  L  R  U  Z  R  N  I
Q  V  V  N  L  D  J  P  A  O  R  A  Y
I  U  F  Z  O  D  V  Y  G  S  E  F  U
J  I  D  K  B  R  D  E  O  K  C  R  T
P  H  K  Z  C  W  N  O  Q  U  G  A  B
Z  I  I  P  S  Y  W  B  T  T  T  T  L
D  A  U  G  H  L  I  O  U  J  I  H  B
```

◊ BABY	◊ LADDIE	◊ STEPSON
◊ BAIRN	◊ MINOR	◊ TEENAGER
◊ CHILD	◊ PROGENY	◊ TINY TOT
◊ INFANT	◊ PUPIL	◊ TODDLER
◊ JUVENILE	◊ RAGAMUFFIN	◊ WEAN
◊ KID	◊ RASCAL	◊ YOUTH

60   Fish

```
Y J U N E Z R P S R C O R
B C Z L A T X Q K S F T R
C L O V L O A C H F A H A
H S E A W H B Z S P R B P
U X S N L E C V R H D S C
B X S D N F J N U C T K A
N U B Y Y Y I B E I K V Q
Z O Q O M H Q S N T I A G
N L E Q C F H G H X P N S
E R J G H A R D F F P O M
G K Z A D A T E K K E O D
D N A D Y U W U M C R D C
Z A O H O I G B R P D A H
Q C C R V T O B R U T J A
K A T E H O D U R O I S R
```

◊ BASS	◊ GUDGEON	◊ RUDD
◊ BLENNY	◊ HADDOCK	◊ SOLE
◊ CHAR	◊ HAKE	◊ STINGRAY
◊ CHUB	◊ KIPPER	◊ TENCH
◊ COALFISH	◊ LOACH	◊ TROUT
◊ DACE	◊ PARR	◊ TURBOT

61 Printworks

```
T E S F F O P E R A D S L
D I C T S V I P R O O F F
S Q U M O N O C H R O M E
T I D G Z T E H Z D E R V
V G L M N N X Q T A B E E
L V U K I I Y E S I Q P V
I V V L S R D U T K L A F
S S E R P C R N N N B P Y
K Y M S J E R H I M A R K
D N J Q M S C E T B D F R
E K Y E P S J M E R Q W Z
D X N I S S K N A N M H F
L T R O T I S O P M O C E
E O L A J D B Z O N F Z H
D I L A Z O G R G B Z U Q
```

◊ BINDING

◊ BOARD

◊ BOOKS

◊ COMPOSITOR

◊ DYELINE

◊ LITHO

◊ MARK

◊ MEASURE-
  MENT

◊ MONOCHROME

◊ OFFSET

◊ OZALID

◊ PAPER

◊ PRESS

◊ PROOF

◊ SILK SCREEN

◊ SPIRO

◊ TEXT

◊ TINTS

```
I E K B X Y O H K Q S R V
J G K V R N C B I E T U S
U E L O G A A G P T S J L
Y S E V O Q R E L C E A P
N H E C D A C B D C T I M
T O D I N I N G H A L L Q
Y G S T Y E S T X D V C E
T T J S S C I Y L T X Q Q
F S P G E E T C S T U D Y
K A O T R L M G S T P N T
Q F C V U A A I U C X H E
Y J L C O M M O N R O O M
L V A A E R C M B A G K A
A F S S E S P I A X R Y Z
D Q S J R O T C E R B E H
```

◊ CLASS

◊ COACH

◊ COMMON ROOM

◊ DEAN

◊ DINING-HALL

◊ FACULTY

◊ GAMES

◊ GRAMMAR

◊ GRANT

◊ LESSON

◊ PROVOST

◊ RECTOR

◊ SCIENCE

◊ SCOUT

◊ SEMINAR

◊ STUDY

◊ TESTS

◊ THEORY

Girls' Names

```
U H H H T P D P X K A D V
M T F A I V A T C O R H N
E I N A H P E T S V A E P
D D D D A T I V S K Z C H
A E Y V T N R B I Y C A Y
X U L V X V D I I P T R N
K E J L Z Y H R G T J G Z
Y J J E A G M A E R D L H
G L T M A B W I X A Z Q A
J L I L B H R M I L M D J
C L E M E N T I N E O C O
Y H G N E K L D G H J A D
S V P H D Z O Y R N Z N L
A A O Q O A E L I K I E C
P K Y E T V R A D L E Z F
```

◊ ANDREA   ◊ GRACE   ◊ SHELAGH

◊ CLEMENTINE ◊ HENRIETTA   ◊ STEPHANIE

◊ DELLA   ◊ INGRID   ◊ ZARA

◊ EDITH   ◊ OCTAVIA   ◊ ZELDA

◊ EMILY   ◊ PATSY   ◊ ZENA

◊ GLENDA   ◊ RHODA   ◊ ZOE

64   Committees

```
I  U  X  S  K  Y  F  U  L  M  Y  E  X
L  Y  B  O  A  R  D  B  E  R  C  P  S
A  T  P  M  S  U  J  O  T  N  U  Q  K
Q  R  W  U  Y  J  V  S  E  O  D  O  P
D  A  N  R  N  V  E  R  R  A  T  G  W
E  P  T  O  O  V  E  G  S  A  W  N  P
L  G  E  U  D  F  S  S  S  O  X  A  A
E  N  A  Q  N  U  E  K  Q  T  U  U  N
G  I  M  O  C  M  F  E  A  C  S  Q  E
A  K  C  O  B  O  Q  R  A  D  E  X  L
T  R  F  L  R  J  U  B  K  V  N  W  M
I  O  Y  C  T  H  I  N  K  T  A  N  K
O  W  E  C  M  N  Q  G  C  Z  T  P  R
N  S  Z  E  E  Y  Y  I  P  I  E  A  D
V  G  L  T  U  D  S  X  K  W  L  I  T
```

◊ ASSEMBLY   ◊ FOCUS GROUP   ◊ SYNOD

◊ BOARD   ◊ JURY   ◊ TASK FORCE

◊ CABINET   ◊ PANEL   ◊ TEAM

◊ CONFERENCE   ◊ QUANGO   ◊ THINK TANK

◊ COUNCIL   ◊ QUORUM   ◊ VESTRY

◊ DELEGATION   ◊ SENATE   ◊ WORKING
                                  PARTY

 68

65 Climbing

```
A S E R T L A C I T R E V
E M E W I E C Y E V Z T G
L E O S E P G G U C P A S
C I D U C O I D G T L H E
A R R I N A G T I F J N X
N X A E U T R Y O R L C A
N T E G P G A P F N E L E
I U J P S T S I M E V J C
P G K C A O P Y N E A V I
E S S A V E R C E E N G P
E T G E A H K E L C E T A
T E C K O O L N P J O R L
S A S S L L I H T O O F S
F S W A D D O J O R L Q N
R O B L F S G B I A C S C
```

◊ APEX   ◊ FOOTHILLS   ◊ PITON

◊ CRAGS   ◊ GUIDE   ◊ RIDGE

◊ CREVASSE   ◊ ICE AXES   ◊ SLOPE

◊ ESCARPMENT   ◊ MOUNTAINEER   ◊ STEEP

◊ FACE   ◊ PEAKS   ◊ TOEHOLDS

◊ FLAG   ◊ PINNACLE   ◊ VERTICAL

```
G V P A R E T H G I E R F
O W T K L K S Z Q E Q E E
J L A U N C H L L X M R O
R H M J U B L C M W L O N
Y G L A N D A U R I Q T A
H C W V E R R E T T U C C
G E S R O H D Y R S C A L
N E N C E P S S A A A R R
I K X I N B T M R C S T I
D A K I S S T A S C H L N
A E A H A U V A O H M T G
I R B R L A O O X B S W F
T A F U N O T M T U W L B
I H Y R R E F K I W Q O R
C Y K Y R R E H W L W K T
```

◊ CANOE   ◊ FREIGHTER   ◊ SCOOTER

◊ CARAVAN   ◊ HORSE   ◊ TOWBOAT

◊ CORACLE   ◊ LANDAU   ◊ TRACTOR

◊ CUTTER   ◊ LAUNCH   ◊ TRAIN

◊ DINGHY   ◊ LIMOUSINE   ◊ WHERRY

◊ FERRY   ◊ MULE   ◊ YACHT

67   Canals

```
V H P Z C A G F N L M P W
Y V I Q E C R A Q R C E L
P Z V A K U A E T I A R I
M L E I K S S W D S P X R
I R X Z H K M M K A E P O
T Z E T O L I R T N M E N
T T O U F A K R I X A V E
E N D R M L E T N E Y E V
L V L I E N S D Q B U L S
L I S E T E I X N X A A O
A N I C V U N Y P M Z D R
N H R R V A T O A T N H G
D T R X A D H N I I W C B
B E O S F S A S L P B O S
T G M R V P Z T I R B R N
```

◊ ASHTON   ◊ LINDO   ◊ PIONEER

◊ BRITZ   ◊ MADERA   ◊ ROCHDALE

◊ CAPE MAY   ◊ MIAMI   ◊ STINE

◊ GROSVENOR   ◊ MITTELLAND   ◊ SUEZ

◊ HAVEL   ◊ MORRIS   ◊ TRENT

◊ KIEL   ◊ PANAMA   ◊ VINH TE

```
T R E C N O C T I C O S A
I O C R E D W N A C E H C
V B E N O W I E S U G O I
G W M R A I N C O A T S F
N M O C R O O S C R H A C
I E C O D D B A I A N A G
T R L G D A E N R C L P N
C C E L D C N S I C C F L
I U W H A O H E I S P A C
D R N O C V D U W C C C I
N Y C U N A M H C N E R F
I B O H Q A E R P K Y R Y
I U D E K C A T S D C F P
S A I L C L O T H E C N P
L U C E S K E T C H I L Y
```

◊ AVOCADO   ◊ INDICTING   ◊ SAILCLOTH

◊ CALCIUM   ◊ INNOCUOUS   ◊ SKETCHILY

◊ CONCERT   ◊ MERCURY   ◊ STACKED

◊ FANCIED   ◊ NASCENT   ◊ TEACHER

◊ FLACCID   ◊ PRECISE   ◊ WELCOME

◊ FRENCHMAN   ◊ RAINCOATS   ◊ WOODCHUCK

69 Cat Breeds

```
A U D U L Y Y L X L P C Z
E S E N A V A J O L C T M
Q T T T T D B U N O C A V
T A H Y N W M R C D U R B
O C A Z E Z O G Y G R O E
W I I A I B B A W A O K N
S C X E R H S I N R O C G
A O J L O U X N B K U N A
S K M U U E W W O O A A L
P H T A B B Y S B X F L W
H D Q M L L R Q E N X I X
Y S D C H I D T I A Q R J
N E B E L U N G X M O U N
X J R F P E R S I A N K M
B B D N R Q P Z P K N X N
```

◊ BENGAL   ◊ MANX   ◊ RAGDOLL

◊ BOMBAY   ◊ NEBELUNG   ◊ SOKOKE

◊ CORNISH REX   ◊ OCICAT   ◊ SOMALI

◊ JAVANESE   ◊ ORIENTAL   ◊ SPHYNX

◊ KORAT   ◊ PERSIAN   ◊ TABBY

◊ KURILAN   ◊ PIXIE-BOB   ◊ THAI

```
T S N I O L R E D N E T X
L E P Q U X Y O R R I S G
H G X H W C T E Q I P C N
G A M M O N G A R B S U I
U S G L E R P G I P D T D
R U E G U E Q M L L R L D
R A B B I T D O A X E E U
H S M T W S M N L U H T P
G A A Q S B R A W N P P K
H E N V I A F F J C E T A
G Z K M E F E Z L T H N E
R I S S O L E R R A S J T
Q Q G E Z I O I B V N X S
H B S O F J K Y Z D M K D
J H F D T S F N O D T I Q
```

◊ BRAWN

◊ BREAST

◊ CUTLET

◊ FLANK

◊ GAMMON

◊ GIGOT

◊ HAGGIS

◊ HAMBURGER

◊ OFFAL

◊ OXTAIL

◊ RABBIT

◊ RISSOLE

◊ SAUSAGES

◊ SAVELOY

◊ SHEPHERD'S PIE

◊ SKIRT

◊ STEAK PUDDING

◊ TENDERLOIN

71   "NIGHT..."

```
C I D J H Y R O G P B D E
V K N F G A H N R Q A A C
G X A E J B T W O W H C S
C L A R V C E G X I N B P
L B B G P A H L E T S L B
P Y I M L J R S L D P I J
I K D R F P H T N C R N V
R N E W D I S M T O R D G
E U F M R R R J P S R N Q
D C I T F H O E P P L E E
I E L K L N T O L S W S H
R H R U C O T D X W A S R
M O C X B H V U H R A B E
W W A T C H M A N S C R H
V L H O Y H E D A H S B C
```

◊ BELL

◊ BIRD

◊ BLINDNESS

◊ CAP

◊ CLUB

◊ CRAWLER

◊ FALL

◊ HERON

◊ JAR

◊ LIFE

◊ RAVEN

◊ RIDER

◊ SHADE

◊ SHIRT

◊ SPOT

◊ VISION

◊ WATCHMAN

◊ WORK

Orchestra Conductors

```
L P F E S H C R G D L A Z
A N C E R L E F N J W B O
T O S C A N I N I N J E O
A E F D I P K E L I K S L
A E N E U L P R R T N C I
L Q R N E D W A H P O H L
S U O I S I A L E N X E K
O C B R G T G M L D S N R
P E M T E U E O E A T B O
R Z O S M I N D G L S A T
I R T E G T O K T N Y C M
G N T V A L A B A L A H C
O X L L V O K A T Z U T Q
M T H I X S N O N A D O I
F R B S O K C O B B U L B
```

◊ ALSOP	◊ DUDAMEL	◊ MOTTL
◊ ANCERL	◊ EHRLING	◊ REINER
◊ BOULT	◊ ESCHENBACH	◊ SILVESTRI
◊ CHALABALA	◊ KATZ	◊ SOLTI
◊ CONLON	◊ KLEIBER	◊ TENNSTEDT
◊ DANON	◊ LUBBOCK	◊ TOSCANINI

```
L Z R X M L J J P V G M T
C H A B A T X F L D L E D
R S M E D I I Y O B Y X L
U I H B D X C O N W D T I
R B O I R O G Z J M E G U
E R W F B E K X A A M B B
C U R B K G E I E Q E Q E
O F L A V V N I R H R H R
N E M A O T Y P U M M I P
D R I R A T O U C H U P N
I G P I D R M W Z D W D R
T M N O J E E E N J K O A
I H Z H U J W S F M E N D
O P E C S I F R E S H E N
N I X N T G V L C L U P H
```

◊ ADJUST   ◊ HEAL   ◊ RECONDITION

◊ COBBLE   ◊ IMPROVE   ◊ REFURBISH

◊ CURE   ◊ MAINTAIN   ◊ REJIG

◊ DARN   ◊ MAKE GOOD   ◊ REMEDY

◊ FIX   ◊ MEND   ◊ SEW UP

◊ FRESHEN   ◊ REBUILD   ◊ TOUCH UP

```
I  Y  Z  A  T  Z  N  R  R  U  J  K  L
T  N  E  M  S  S  E  S  S  A  F  S  F
P  Z  L  Q  F  K  Z  V  Q  A  Y  E  B
E  X  A  M  I  N  A  T  I  O  N  D  A
S  T  U  D  Y  D  E  L  P  A  P  E  R
R  O  T  A  L  I  G  I  V  N  I  D  R
E  O  Y  Q  E  N  A  J  Y  H  I  T  A
A  S  I  L  E  N  C  E  S  S  A  I  E
D  T  X  D  S  K  V  Z  C  R  E  M  Y
I  Y  A  W  R  R  T  I  H  E  L  E  F
N  R  E  C  U  A  P  U  O  P  X  T  O
G  R  L  S  H  L  G  W  O  O  Z  A  D
S  X  X  R  I  A  S  M  L  R  Y  B  N
O  X  Z  N  E  A  I  F  C  T  L  L  E
X  K  E  Z  H  R  K  R  N  T  J  E  K
```

◊ ANSWERS	◊ EXAMINATION	◊ REPORT
◊ ASSESSMENT	◊ FAIL	◊ SCHOOL
◊ CHAIR	◊ GRADE	◊ SILENCE
◊ DESK	◊ INVIGILATOR	◊ STUDY
◊ DISCIPLINE	◊ PAPER	◊ SURVEY
◊ END OF YEAR	◊ READING	◊ TIMETABLE

Show Jumping

```
R R W A Y G W G S A P J C
S O M T O U C H D Y X A L
I S T A B L E W I I N K I
N E S E R W G Q O T K W U
L T N R E E S I E B Z I M
X T H M O T N R J Z Q N A
Y E E Z S T R A I N I N G
P H F O Y L A H E D G E U
R B P V R S U T V L E R G
Z E E O S N V S C V K R G
S Z F A R K S D A E K Y U
S N R U T T C T L D P W X
G G U J S J I O Y Z D S L
J W Z X X A X Q L L N L E
K Z J Y P K L I U C E S E
```

- ◊ ARENA
- ◊ CANTER
- ◊ CLOCK
- ◊ GRASS
- ◊ HEDGE
- ◊ POSTS

- ◊ REFUSAL
- ◊ RIDER
- ◊ ROSETTE
- ◊ SADDLE
- ◊ SPECTATORS
- ◊ STABLE

- ◊ STYLE
- ◊ TOUCH
- ◊ TRAINING
- ◊ TROPHY
- ◊ TURNS
- ◊ WINNER

76   Endangered Species

```
Y R A H D A M Z D S X B X
G M J S S P D R C Y K F X
K I B N P O J D G U V W E
F P A C A R A N A B J D E
O A S N P R E K A X X D Z
S S K B T B W T I G E R N
S I I E T A X H E K D X A
A A N Q K Y N R A B I G P
T T G U R E S T U L Z K M
R I S O I G E S E M J G I
B C H K G V H O D A E H H
I L A K Y D P F S I T L C
D I R A O A L E T H L E V
O O K G R U E L U I Z V R
E N Q D G A L O R I H H B
```

◊ ADDAX

◊ AKEKEE

◊ AKIKIKI

◊ ASIATIC LION

◊ ASPRETE

◊ BASKING SHARK

◊ BUSH DOG

◊ CHIMPANZEE

◊ FOSSA

◊ GIANT ANTEATER

◊ HIROLA

◊ LEMUR

◊ LEOPARD

◊ NARWHAL

◊ ORYX

◊ PACARANA

◊ QUOKKA

◊ TIGER

```
N S J B A O M O W T J X C
W N C O U Q D P I G Y M O
A O C L Y G H R N N B T I
Y O T U I S E Z F I J Q K
C Z L L J D W M E Z Y A C
X E I L A T L O B O L T O
B S U A U M J D R D J B L
E L Q B N W P N K D J T C
D E A Y O S J R E Y J Q M
S X Q N A T Q H A I A M R
P S Q P K E G V U Y F R A
R J C S S E N I R A E W L
E E J N I H T A X L V R A
A H S D A S G B A T H W S
D T F T N Y M X S I M J O
```

◊ ALARM CLOCK   ◊ DROWSY   ◊ REST

◊ BATH   ◊ LAMP   ◊ SHEETS

◊ BEDSPREAD   ◊ LULLABY   ◊ SNOOZE

◊ BLANKET   ◊ PRAYERS   ◊ TIRED

◊ COCOA   ◊ QUILT   ◊ WEARINESS

◊ DOZING   ◊ RELAX   ◊ YAWN

Body Language

```
D C U K J X M L Q B S E E
V E L E K S W W S T L N C
S P R T C S I F L H X E A
M H A A F I D G E T A B P
S L R L T C W K H L W K G
C G V U D S R F S Z D K E
O T A C G V G G C N E Q B
W Y O I H F S L E A G H G
L N E T T C J B O T P A I
H S A S R W U P U W Z U C
Z G U E E J O O X E E S J
J K U G M D V U T G M R P
X E H A B D J T R I A E E
T T P H L L R I L J K P L
T P R R E R N E N W A Y R
```

◊ BEND   ◊ LAUGH   ◊ SIGH

◊ FIDGET   ◊ PACE   ◊ SMILE

◊ GAZE   ◊ POUT   ◊ STARE

◊ GESTICULATE   ◊ SCOWL   ◊ TOUCH

◊ GLOWER   ◊ SHAKE   ◊ TREMBLE

◊ GRIN   ◊ SHRUG   ◊ YAWN

```
E S T R S A T A N O S R S
S L A U H R I D I B E E A
A S N N I G A E S T R B S
U I O H D S S N F S F P Y
S M S G C M X I E S S R W
A W S F G F S A T W T J S
G C E N B Y M I A N I S S
E U S E S S P G E S C S Y
S I A H T P G S B E S T B
S H M R L E S G D S E O S
E H E E R S S P N F S K H
T S A A U S C T A I I E U
S K H P R A S S D C W D P
P Y S I E E L A S N E E Q
S E T T S D R H R E S S S
```

◊ SAFETY   ◊ SHAPED   ◊ SONATA

◊ SAUSAGES   ◊ SHEARER   ◊ SPACES

◊ SEAMSTRESS   ◊ SHIRT   ◊ STIPPLE

◊ SENTRY   ◊ SIFTER   ◊ STOKED

◊ SESAME   ◊ SINUS   ◊ SWAGGER

◊ SEWING   ◊ SOGGY   ◊ SWEETEST

```
I  H  G  X  Q  H  O  L  A  A  N  C  D
K  Z  A  R  D  D  X  L  I  U  M  T  V
U  W  D  Q  E  P  R  T  S  K  O  I  Z
Z  A  L  K  A  E  T  N  N  C  O  O  L
D  K  A  N  N  O  N  I  I  E  F  Y  I
A  B  S  Y  L  B  O  R  A  C  P  B  G
M  M  N  R  G  G  A  R  B  A  N  Z  O
O  T  O  X  R  H  K  Q  X  A  Z  M  Q
R  B  W  L  W  B  J  A  V  Q  D  Y  M
E  V  P  A  E  W  C  Y  L  U  E  A  O
T  L  E  O  G  D  B  W  P  N  M  V  Y
T  S  A  E  M  A  M  A  D  E  A  A  X
U  D  E  H  C  D  B  I  F  L  Q  F  C
B  G  V  U  D  X  K  Q  K  B  R  A  Z
L  Z  N  F  I  L  Q  I  P  U  L  S  E
```

◊ ADZUKI

◊ BAKED

◊ BORLOTTI

◊ BUTTER

◊ CAROB

◊ DHAL

◊ EDAMAME

◊ FAVA

◊ GARBANZO

◊ GREEN

◊ HARICOT

◊ KIDNEY

◊ LIMA

◊ NAVY

◊ PULSE

◊ SNAP

◊ SNOW PEA

◊ WAX

81　On Fire

```
P A N K G K D A W U V E F
I E F L C T O E K O C S W
I G L N O I O I Q M T N Y
W O A O F W W S M S H E I
E M S J E U T A W R G T T
O F H Q D V R Z B K I N V
D V I N O B I N N L L I X
E J N F F N I S A Y A A L
T S G L A O C N O C B Z R
I V G T N T G H N L E E E
C Q B O E E C T P G P K H
X D S R L T W P A A G X G
E R S W A F A Z T E Y E E
A I T M U R T R E H P A Y
C I T S A I S U H T N E A
```

◊ ABLAZE

◊ ALIGHT

◊ ARSON

◊ COAL

◊ COKE

◊ ENTHUSIASTIC

◊ EXCITED

◊ EXPLOSIVE

◊ FLASHING

◊ FURNACE

◊ INTENSE

◊ LOGS

◊ MATCH

◊ PEAT

◊ SOOT

◊ TAPER

◊ WICK

◊ WOOD

```
C  F  I  J  E  J  A  V  H  C  P  F  G
O  T  J  L  Q  M  Y  E  Q  O  V  Y  E
L  Y  K  D  N  P  U  N  Z  X  H  I  L
L  N  L  E  P  S  A  T  Y  O  W  U  N
A  N  C  F  L  L  E  R  P  R  Y  E  E
R  K  H  E  B  A  X  I  T  E  P  H  A
B  U  V  B  K  W  O  C  G  G  S  H  R
O  A  S  N  E  T  A  L  A  P  Z  S  D
N  O  E  F  U  Y  A  E  W  N  T  T  R
E  E  J  O  X  N  O  D  V  N  E  H  U
T  E  P  I  D  E  R  M  I  S  L  H  M
F  E  X  S  W  S  R  O  G  T  O  E  N
Q  O  E  X  L  A  J  D  H  U  S  T  Z
D  V  O  T  V  Y  G  C  B  O  T  K  J
G  A  Q  T  H  W  L  S  N  I  A  R  B
```

◊ ANKLE   ◊ GLANDS   ◊ NOSE

◊ BRAIN   ◊ GUT   ◊ PALATE

◊ COLLARBONE   ◊ JOINTS   ◊ SEPTUM

◊ EARDRUM   ◊ KNEE   ◊ SOLE

◊ EPIDERMIS   ◊ NAVEL   ◊ TEETH

◊ FOOT   ◊ NECK   ◊ VENTRICLE

83 Bobs and Roberts

```
E W D R O F D E R E N E D
H R E A S E P D X K K U I
U O A I T O R P O W E L L
M J S U H Y I N A A N E B
E M W K S O O H I G A B C
M O O G I C U R Q L R K Y
V R H M A N H Z E O C Z L
P R M L H T S E W J I O N
K I Y L E Z Y N N H J O L
B S F A T K I R A B I O K
N Y C V N N O C A P E Q E
N B R U G R A O M E T R N
H A Y D E N S A H Y P E G
C L I H T L H M A W Q O L
N S U T F C E U R I C H E
```

◊ BROWNING

◊ BYRD

◊ CHAMPION

◊ CRANE

◊ DUVALL

◊ ENGLE

◊ HAWKE

◊ HAYDEN

◊ HOOKE

◊ HOPE

◊ HOSKINS

◊ MOOG

◊ MORRIS

◊ PEARY

◊ POWELL

◊ RAUSCHEN-
  BERG

◊ REDFORD

◊ URICH

84   Mr Men

```
F D H M T L Q L P P K I L
A R S J L C Z Y M U A T O
S Y L A Z Y E U L M D B O
S D T R S Y B F A L B L C
Y O B O E N C T R P E F A
G B L S P V E F S E V J F
R O O X I S E E G X P V F
U N S C A I Y L Z J M O V
M P V M H I R T C E R O Y
B W A C B G E T U G K U R
L X S G S I H W E R N O Y
E I K B U S O T R U V S Y
M Y F Q N N F Q L U S Y M
F C O F S U G M Q U D F D
V I Z U L S L Y F R U E E
```

◊ BUMP	◊ JELLY	◊ QUIET
◊ CLEVER	◊ LAZY	◊ RUDE
◊ COOL	◊ MISCHIEF	◊ SNEEZE
◊ FORGETFUL	◊ NOBODY	◊ SNOW
◊ FUSSY	◊ NOSEY	◊ TALL
◊ GRUMBLE	◊ PERFECT	◊ TOPSY-TURVY

Roman Emperors

```
C T E T U S P N T J G S N
A M O H Q R E S K H R U A
R I Z U O R N S A A A I I
U Z U B V A T U W V T L L
S J U A T T G N D D I L U
J S C S D U Q I U A A E J
L Q N O S Y U R E L N T N
I O G T M W I A G N P I A
C Y U H B M N C A Z F V I
I S J J T M O I Z K C S C
N O N Y K I L D I E G U R
I T S E M E T R U A C T A
U A E B R H V U L S M I M
S R P U D O Q B S X A V D
W O A E G N A J A R T A L
```

◊ AUGUSTUS   ◊ CONSTANS   ◊ NERO

◊ AURELIAN   ◊ GALBA   ◊ NERVA

◊ AVITUS   ◊ GRATIAN   ◊ PROBUS

◊ CARINUS   ◊ JULIAN   ◊ TITUS

◊ CARUS   ◊ LICINIUS   ◊ TRAJAN

◊ COMMODUS   ◊ MARCIAN   ◊ VITELLIUS

```
R N O I S S A P Y Y M W D
A Z M T J X Y D R Q Q T T
D U B N U M G E T E V E K
I C C M T N M H X B V S C
A O H S I M Y S A U S O U
T A H W U H R U D A S N C
O L O S T Y L L A R T E
R L G Y E Q L F W T E L N
G Q U O M R U Y N P K A E
E I K K P Y S O I C L C S
Y C Q M E Y M D S A Y I O
S D L N R W N L I M O P R
A N U E A H A N A G B O E
E R U U T M E R U B B R K
O U Z G E G I A M S G T Q
```

◊ BALMY   ◊ GLOWING   ◊ SULTRY

◊ COAL   ◊ KEROSENE   ◊ SUMMERY

◊ COVER   ◊ LUKEWARM   ◊ SUNNY

◊ DUVET   ◊ PASSION   ◊ TEMPERATE

◊ FLUSHED   ◊ RADIATOR   ◊ TEPID

◊ GENIAL   ◊ SNUG   ◊ TROPICAL

```
H X N P L T E S B D Z R G
F R Z I R U E B E U E Z D
I Y E O B W T D Z I Q U N
R N C B E D J R N I C A U
N S A R E E R E F U P H M
E S I T U L D G Z P O M B
S A U U A T R O R R L W E
J O G N T L C O E E I A R
R Z H E B E X U K S S D D
A C A R D I V G D E H S Q
H R T M M R F I L N H G I
P B F A M P J J L T O H Z
J O T R A N S F E R R C D
K E B N I V J S Z O J O T
O J W D N W L K W P C D X
```

◊ APPROXIMATE   ◊ LIVE   ◊ ROUTED

◊ BASS   ◊ NATAL   ◊ ROW

◊ CONDUCT   ◊ NUMBER   ◊ SEWER

◊ DENIER   ◊ POLISH   ◊ TEAR

◊ DOES   ◊ PRESENT   ◊ TRANSFER

◊ ESCORT   ◊ REBEL   ◊ WOUND

88   Kitchen Items

```
D D N F K S E V L E H S X
E K E I O L N T A I L T E
S N Q L T O R I O D E M R
S W S T D Q D V K V T E Y
E T E O Y A M M I E T X L
R K O D U N L R I A M O H
T X A P E P T G R X I A Y
B C M L A N S G S J E R R
O R B F U E D P T W X R S
W O E O C T T D O X W K P
L H F C M L A J V O H S S
P I E D I S H P E W N I E
N A P E C U A S S V E H O
T E S A R G J A Y V M W O
K J C C O F F E E C U P G
```

◊ COFFEE CUP

◊ DESSERT
  BOWL

◊ FOOD MIXER

◊ GRATER

◊ JUICER

◊ KETTLE

◊ LADLE

◊ PIE DISH

◊ RAMEKIN

◊ SAUCEPAN

◊ SHELVES

◊ SIEVE

◊ SOUP SPOON

◊ SPATULA

◊ STOVE

◊ TEAPOT

◊ TRIVET

◊ WHISK

89   In the Past

```
Y O T N E I C N A P Y N C
E T U X H P B M E E L Z N
P E I T Y C E A Z K R E Y
N R Q U O N D A M U E M A
D E E G Q F Y I B B M K D
E C H H S I D X S W R O R
R I H T I E T A V O O V E
S A D O K S H N T Y F E T
T H Z E N C T E A E Y R S
W C U G T E A O I C B W E
H R Y M F R T B R K O I Y
I A O K L S A I F I O T S
L Y R I U E K P M Y C H Y
E T E L O S B O E E O X K
K R O T R O I R P D C U N
```

◊ ANCIENT

◊ ANTIQUITY

◊ ARCHAIC

◊ BACK THEN

◊ DEPARTED

◊ EARLIER

◊ ERSTWHILE

◊ FORMERLY

◊ HAS-BEEN

◊ OBSOLETE

◊ ONE-TIME

◊ OUT-OF-DATE

◊ OVER WITH

◊ PREHISTORIC

◊ PRIOR TO

◊ QUONDAM

◊ YESTERDAY

◊ YORE

90   Boxes

```
V H C A V I F B G U F A R
U V E J R L C G A S U T A
B D R A S K Z T B J Z B G
H L E C S T B E S R J I I
N G A K E E B K O U A T C
O W L I D T Y N E B O I B
I Z I N B A A A H O T X N
T U Z T H G I L L C H R A
C C Q H N O M B O J Y H Q
N D H E K E P J W C K T S
U N X D L V S H U M O O B
J C W U W H L S O R U H K
J U I W O R K O Z N Y G C
S C K C R O K K D E E G A
I T G E E R C W Q O P E J
```

◊ BLANKET	◊ GEAR	◊ LIGHT
◊ BOOM	◊ ICE	◊ PHONE
◊ BRAIN	◊ JACK-IN-THE	◊ SOUND
◊ CEREAL	◊ JUKE	◊ TOOL
◊ CHOCOLATE	◊ JUNCTION	◊ WITNESS
◊ CIGAR	◊ JURY	◊ WORK

91   Prepositions

```
S U R E R T S B V I Z Y D
S Z N E C Z H H U I C N E
O G M T Y N I R V B I H C
R A X S I X I J O H K R B
C O Z T B L F S E U R A G
A B T J U I E B G M G N M
E O G N T U O B A A D H T
E K G N I R E D I S N O C
D B I V O C K N F K W R O
N E F L U M S F Z A X E I
O W S Y N T A U R W Q V I
Z T O P T U I D I O T O N
V H A D I A X K O O M E Q
H S W Z U T W D P G A H U
T J G L W I E N M R M K U
```

◊ ABOUT   ◊ DESPITE   ◊ PAST

◊ ACROSS   ◊ DOWN   ◊ SINCE

◊ AGAINST   ◊ FROM   ◊ THROUGH

◊ AMONG   ◊ INTO   ◊ TOWARD

◊ BEHIND   ◊ NEAR   ◊ UNLIKE

◊ CONSIDERING   ◊ OVER   ◊ UNTIL

```
I  S  C  A  R  Y  A  F  C  U  G  Y  C
V  C  E  E  K  R  E  U  F  G  L  D  D
O  I  B  A  U  R  I  H  A  A  W  B  A
Y  I  L  G  G  K  U  R  L  T  T  U  B
T  E  E  F  R  L  O  L  E  M  R  S  S
Y  S  J  E  R  N  O  B  I  V  E  E  F
R  X  J  E  N  B  R  V  C  M  V  L  A
U  I  S  E  B  O  M  N  A  E  I  I  V
P  E  C  H  O  R  A  H  R  U  H  A  I
W  X  S  S  U  U  T  N  H  C  X  J  S
M  X  G  X  R  O  K  C  C  M  H  A  T
L  T  X  A  F  D  I  E  Z  L  R  L  U
V  Y  K  V  G  F  R  P  X  N  F  I  L
C  S  D  P  H  A  B  P  O  J  L  Z  A
I  Y  F  J  M  A  V  A  S  S  M  S  P
```

◊ ARNO	◊ LIMIA	◊ TAFF
◊ DOURO	◊ MARECCHIA	◊ THAMES
◊ EBRO	◊ PECHORA	◊ TIBER
◊ ELBE	◊ SAVA	◊ VISTULA
◊ GARONNE	◊ SEGURA	◊ VOLGA
◊ ISKAR	◊ SEVERN	◊ WESER

93   Reptiles and Amphibians

```
K O O M G W G B D H C P F
N C D X Z E J N G H B I K
I E U L C U O C Y G V P L
K L A K I I J B A A A T Y
S T O N L Z F J R Y O T F
C R A L A O A B P L M N O
A U E B A U O R O G K A D
A T B X M C G X D V E T N
S N U M K A A I E N E W T
D E L S S D M R S L U Q U
D E L R D M A T A M A T A
Q R F E U Y H I E R L P M
A G R P H U V W C X A U S
R A O I R V I Y P X F J W
M Y G V M R O W W O L S O
```

◊ ADDER   ◊ GECKO   ◊ MATAMATA

◊ AXOLOTL   ◊ GREEN TURTLE   ◊ NEWT

◊ BULLFROG   ◊ IGUANA   ◊ SKINK

◊ CAYMAN   ◊ JARARACA   ◊ SLOW-WORM

◊ COBRA   ◊ LIZARD   ◊ STELLION

◊ ELAPS   ◊ MAMBA   ◊ VIPER

```
T K W U L Z Y D Y X G F A
L Y I Q Y R C L R L E D M
A T W H R Q L A A N P J A
N T I E I O V U L F G G X
O I M N J Z G I U U N N X
I W A T T H V G C N I I Q
T Z B O A E N W O N T T D
A H H B N I R V J Y R R J
E X L I L I V E L Y O E N
R E N A V S W J S L P V W
C G G S I S F P L T S I I
E E G N I Y A L P H I D O
R E N T E R T A I N I N G
G N I N E D D A L G F T G
G D S X G M L A C I M O C
```

◊ COMICAL

◊ DIVERTING

◊ DROLL

◊ ENLIVENING

◊ ENTERTAINING

◊ FUNNY

◊ GLADDENING

◊ INTERESTING

◊ JOCULAR

◊ JOLLY

◊ LAUGHABLE

◊ LIVELY

◊ MERRY

◊ PLAYING

◊ RECREA-
  TIONAL

◊ REGALING

◊ SPORTING

◊ WITTY

95   Wood Types

```
L X B G L K G E W O O D G
R L G A H A I M L R V D C
S N R S O E E L E P A S Z
H C E E B T H X C R A B H
H A L L I D A N A R G M X
B Z H Y K M Y E Z G X N C
Z D S D A A G D R T B T Y
Y N A G O H A M M E S R I
V I Y E W O L I V E D N T
I A X Z H T W W U F W L O
B S J N K R D N R T K Z A
Z L E Z R E X Z I E Z G I
A A T L A R I F L T E H T
T B F L M Z G U K O A C G
I B F T T A I O U Q E S K
```

◊ ALDER	◊ FIR	◊ OLIVE
◊ ASH	◊ GRANADILLA	◊ SAPELE
◊ BALSA	◊ LARCH	◊ SATINWOOD
◊ BEECH	◊ MAHOGANY	◊ SEQUOIA
◊ DEAL	◊ MAPLE	◊ TEAK
◊ ELM	◊ OAK	◊ YEW

99

96   Quick

```
B U D T S K M Y M O X F G
K U S W U E A M Y M K C Y
D A S U O C V S D V I R K
F E V Y T Z N Y E O P J T
T C G I I A J M E S Y F T
Y W V N P Z I P P Y E R T
O E Q P I F U A S D A A C
L P Y W C W L N T X X L G
J K D S E E A R L V Z N Y
V K S I R B A B W K I O R
F U S T P M H E R Y N C U
L Q R H S N A U L U K C S
E K U E A D G F J B P B H
E E Y Q W R G F P S G T E
T J H K M S P X L R D P D
```

◊ ABRUPT   ◊ FAST   ◊ SMART

◊ ACTIVE   ◊ FLEET   ◊ SNAPPY

◊ ALERT   ◊ FLYING   ◊ SPEEDY

◊ BRISK   ◊ PRECIPITOUS   ◊ SPRY

◊ BUSY   ◊ RUSHED   ◊ WINGED

◊ DEFT   ◊ SHARP   ◊ ZIPPY

```
N U N Z N A B X P C F H N
O G P K H S J I Y A W P V
I B D I E E D N U M L M I
L A R U L P N E V E S L J
K D N J U E T O Z L N N V
G G N N U C T H M O K F I
Y E R Q U N H P E P B E B
R D S E A L A X N A D O B
O T Z L S G E Y V R R S Y
N E O J A X Z T T D F T J
N V N A L M C Y U S M F Z
Y Z R S T H Q R A G E O T
H M E W I V E R N Q R R V
S M Z M R G A O X L T C C
E C X M E R N K E P I L L
```

◊ ANNULET   ◊ ENSIGN   ◊ PILE

◊ ARMS   ◊ GYRONNY   ◊ SALTIRE

◊ BADGE   ◊ LION   ◊ SEME

◊ BORDURE   ◊ ORLE   ◊ UNDEE

◊ CAMELOPARD   ◊ PALL   ◊ VOLANT

◊ CREST   ◊ PHOENIX   ◊ WIVERN

Varieties of Pea

```
M G M R P U R J K J U X G
A Y T S I M Y E C E Q R S
R K L R O M G R A Q A K S
K E G R E S E B L D H C V
A O S N F V I A U Z S T H
N N X F I M L S D N K K Y
A W N C W K P A E S V V E
K A J E J R O W C F N T F
B R J L I F D C U E N Z J
O D Z N E S D F L A I R Q
H I G N B G R J S L I I N
L Z R L V O A I W A B L X
G V A T N Z U C E S S Q Y
N H V D R G X J Y K N M Z
H C O T E G S U K A Z H O
```

◊ ALASKA ◊ GRADUS ◊ RONDO

◊ BANFF ◊ GUISANTE ◊ SABRE

◊ CALVERT ◊ LEGACY ◊ SERGE

◊ EDULA ◊ MARKANA ◊ SIENNA

◊ ENVY ◊ MISTY ◊ SPRING

◊ FLAIR ◊ ONWARD ◊ TRIO

```
H W R L J D Q G M P T O K
R Q Y F R E N O I N O O A
R P C L L I R G S N J B A
E V X T M A W D R A G P E
C R S T E A M E B A U W L
R Y Y B X J F E Q M M N N
D N Y P L N I O Y G J L A
K O O F I R E P L A C E V
F E V A W O R C I M A G B
J N E A U A S G R M S W S
Z C N H D O V E S Z H R A
B P E I S P V A D I E K G
Y L S K D E K V L B S I A
L H K T F U E F M J I L A
P L M W S Q Q E B W N N I
```

◊ ASHES   ◊ HELL   ◊ ONION

◊ EMBERS   ◊ INFERNO   ◊ OVEN

◊ FEVER   ◊ KILN   ◊ PYRE

◊ FIREPLACE   ◊ LAVA   ◊ RADISH

◊ FLAME   ◊ MAGMA   ◊ SAUNA

◊ GRILL   ◊ MICROWAVE   ◊ STEAM

100   "R" Words

```
R E Y H C N U A R O R A R
A M K B E R E Y M E W R E
M U S H R C L D A R R A A
R T I L Y H R I D G E L E
R O R T G R I O Y S P U T
R R T U O I R Z R T A G A
Y Z O C R A N D O M E E R
L R D L I E A N R M R R E
L A H O N R C F P R E L B
A F R A N B T K R A E R R
R F H W J U Y S O A E P E
U I R I B A L D E N Z E V
R S F Z B N R E E R I O E
N H W L P O E N R R Y N R
R H R Y E G R A S S R J G
```

◊ RAFFISH   ◊ RECKONING   ◊ RIDGE

◊ RAJAH   ◊ REGULAR   ◊ RIFLE

◊ RANDOM   ◊ RESTRICTOR   ◊ RISKY

◊ RAUNCHY   ◊ REVERBERATE   ◊ ROUGHLY

◊ RAZOR   ◊ RHIZOME   ◊ RURALLY

◊ REAPER   ◊ RIBALD   ◊ RYEGRASS

101 Wines

```
Y D T K G I U O S Z V V G
R E C O J T A N A P A Q C
J O G T L R A E P L M I O
H O S A D R Q U P W O O D
F G H E T E E O L Y V V Y E
S P Z A C I L M D T W W M
S T W A N I M O V B U R T
H Z S H C N B R P G O J Y
Y L L E L O I R E U T Z M
A W L U K Q L S G H I I N
S L L M I T C E B C F O Q
A W H R D W D I V E C K K
L H A E A K H A S A R S B
O L L I N A R P M E T G V
V S V R J K P P E R Y B S
```

◊ ALSACE
◊ BODY
◊ FITOU
◊ HERMITAGE
◊ HOCK
◊ JOHANNIS-
  BERG

◊ LOIRE
◊ MACON
◊ MEDOC
◊ MERLOT
◊ NAPA
◊ PAARL

◊ ROSE
◊ ROUGE
◊ SEKT
◊ TAVEL
◊ TEMPRANILLO
◊ VALPOLICELLA

102   **Three Times Over**

```
E  T  A  C  I  L  P  I  R  T  E  W  E
T  H  O  T  T  E  Z  R  E  T  L  L  T
R  R  E  L  P  I  R  T  H  I  B  D  A
T  E  E  L  E  T  E  R  T  E  E  L  C
H  E  E  O  R  R  E  C  R  T  R  O  I
R  F  R  I  T  C  I  T  E  H  T  F  L
I  O  P  I  E  T  E  E  T  R  Y  E  P
C  L  L  R  T  R  E  B  R  E  Q  E  I
E  D  H  W  Z  H  E  Z  R  T  H  R  R
B  T  T  E  B  R  R  D  R  J  Y  H  T
T  P  T  R  T  G  I  I  X  E  P  T  H
I  T  T  R  I  P  L  I  C  A  T  E  R
O  T  R  I  B  P  G  J  B  E  G  N  I
C  U  B  G  X  E  L  B  E  R  T  D  C
T  R  D  L  O  F  E  E  R  H  T  U  E
```

◊ TERZETTO	◊ THRICE	◊ TRIPLE
◊ TERZETTO	◊ THRICE	◊ TRIPLE
◊ TERZETTO	◊ THRICE	◊ TRIPLE
◊ THREEFOLD	◊ TREBLE	◊ TRIPLICATE
◊ THREEFOLD	◊ TREBLE	◊ TRIPLICATE
◊ THREEFOLD	◊ TREBLE	◊ TRIPLICATE

103   Clever Things

```
O X C K E T U T S A P H D
T T S K N G R T G K R L P
N U O Q G O H E K H O M R
D E T F I G W U L E F G A
K Q Y V G P E I S A E O H
D E N R A E L R N O S N S
S E J F C Z L I D G S R S
E O F C N D V W C J I U L
N S Y T T P E D A A O W K
S M A R T R R B L I N F N
I L P P H D S E V B A N H
B H W S I J E E A X L M Y
L O Q O L E D L E D R T K
E Z X T B K N H V C Y P F
F B X U J Y E T Y W N Y D
```

◊ ADEPT

◊ ALERT

◊ ASTUTE

◊ CANNY

◊ DEFT

◊ DEVIOUS

◊ GIFTED

◊ KEEN

◊ KNOWING

◊ LEARNED

◊ PROFES-
  SIONAL

◊ READY

◊ SAPIENT

◊ SENSIBLE

◊ SHARP

◊ SHREWD

◊ SMART

◊ WELL-VERSED

104   Olympic Venues

```
O K E S I N I L R E B N E
T Q L X K X K S Y P A N I
T E B S N E H T A P R Y O
I Z O R I F N I R U T L S
C G N I S I E E O Q O A Y
O Y E O L A P B G N L L S
N R R D E C L A D T U J V
S A G E H E Q O L O A W S
I G G J M A N A E R O M S
U L A A A U K S M R O O I
O A J N N E N D S S O H W
L C O E C O Q I C Y C M S
T X U I J A L O C O E X E
S B T R V M W V S H Q K A
B Y J O A V E Y E N D Y S
```

◊ ATHENS

◊ BERLIN

◊ CALGARY

◊ GRENOBLE

◊ HELSINKI

◊ LONDON

◊ MELBOURNE

◊ MOSCOW

◊ MUNICH

◊ NAGANO

◊ RIO DE
   JANEIRO

◊ ROME

◊ SALT LAKE
   CITY

◊ SEOUL

◊ SOCHI

◊ ST LOUIS

◊ SYDNEY

◊ TURIN

105   European Regions

```
C H E Y O L R P S N F Y A
I C X E N O H R O L L Q T
P V T J R K S N H A E T P
E P R B C C N Y U O Y O E
I R E G N A V A T S M R N
R R M U H W N E C J E N I
O Q A S H A N G C S R A K
S E D C M E L Z I A S J Z
U U U U V A S D T H E C W
Z N R T R T L S D F Y C B
Z T A U V F K S E G S N U
U Y S O I H N X A N I T P
G V O S G E S K D C D R H
Q I K U X U D C M N E F S
L W A T A C I L I S A B Q
```

◊ ALSACE   ◊ ISERE   ◊ SHANNON

◊ BASILICATA   ◊ LEON   ◊ STAVANGER

◊ EXTREMADURA   ◊ MERSEYSIDE   ◊ TARN

◊ GLARUS   ◊ NAMUR   ◊ VENETO

◊ HESSEN   ◊ OREBRO   ◊ VOSGES

◊ IPEIROS   ◊ RHONE   ◊ ZUG

On the Edge

```
K C E I S W I A Y P R S R
N J O J H D E R R I P D D
I F H R R S A G O X L B W
R N L Z N D O N R O U X E
B P F A N E V F H E M U D
L A E U N L R S E N V G A
U I O M E K E G L I X Q L
D B P V P R D Z C E A U B
E T E S H I K P B J D D A
O B S T R H Q B C H E G D
S H O U L D E R F C S F E
J I H U H Y E S L I M I T
W D D K E S L O K I E P Q
A C G E T D G R E D R O B
N I G R A M E M U M I R K
```

◊ BEVEL	◊ CREST	◊ RIDGE
◊ BLADE	◊ FLANK	◊ RIM
◊ BORDER	◊ LEDGE	◊ SHOULDER
◊ BOUNDARY	◊ LIMIT	◊ SIDE
◊ BRINK	◊ LIP	◊ THRESHOLD
◊ CORNER	◊ MARGIN	◊ VERGE

```
V R N S Q D L L D R S A S
Y Q A V L M I B C G F Y I
S I L J V A P S Y L R H T
P C H O L E R A E Q O O I
O A G P N K J X R A I X L
R I M P H E O F A L S E L
D P A P Q R H S O V P E I
F O A S E G R P K R A J S
C Y M E Q M E A O H M Q N
C M H P U I U S T E E K O
O Y T S I H Y M M A Z V T
L T S I N O I T P E C E R
D U A S I I U H A S E C E
S J M Z N E G O D A I L H
V D S J E J T V S T S E T
```

◊ ASTHMA   ◊ ECZEMA   ◊ POLIO

◊ CATARRH   ◊ FLEXOR   ◊ QUININE

◊ CHOLERA   ◊ LEPROSY   ◊ RECEPTIONIST

◊ COLDS   ◊ MUMPS   ◊ SEPSIS

◊ DISEASE   ◊ MYOPIA   ◊ TESTS

◊ DROPSY   ◊ PHENOL   ◊ TONSILLITIS

```
L A I R O T C I V M T Z J
R Y V E E Y Y G J R O Z C
M E B M E Z C G E D O H C
W I L L I A M B I Z C L S
S V X I Y Y G R W D A P C
E Y X W Z E R J C S N N U
M Y D E E A B N D F U A T
A E N H D N B R E X T T H
J N J O H N A E P H E S R
A P X D B H U J T G H L E
X O U X C D M M E H E E D
O M T I O H E O D D J H B
B A R Y D C R U G E M T G
Z R S K C G U A Y C X A X
V Y D O E T R N Z A B F Q
```

◊ ANNE	◊ EDWY	◊ JANE
◊ ATHELSTAN	◊ EGBERT	◊ JOHN
◊ CANUTE	◊ ELIZABETH	◊ MARY
◊ CUTHRED	◊ GEORGE	◊ RICHARD
◊ EDGAR	◊ HENRY	◊ VICTORIA
◊ EDMUND	◊ JAMES	◊ WILLIAM

Herbal Remedies

```
S Y L I L A N N O D A M P
I W O T V M F J G H J L E
F J V C E W C O W S L I P
M O A C Z L Q Q X K I Y P
X B G E H D O Y Q X S W E
V K E K K A R I W B A C R
B A W Z C A M G V D B I M
D F L I M O R O I D Z L I
B Y Y E S W D D M N G R N
B A S E R O E W N I K A T
B O L E L I R D O A L G J
R L R S D S A R N L M E O
B N T T A S R N E U L M U
M B J O J M W A D L S E D
D T M O Y P P O P D E R Y
```

◊ BALSAM

◊ BASIL

◊ CHAMOMILE

◊ COWSLIP

◊ GARLIC

◊ GINKGO

◊ LOVAGE

◊ MADONNA LILY

◊ MANDRAKE

◊ PARSLEY

◊ PEPPERMINT

◊ RED POPPY

◊ ROSEMARY

◊ SORREL

◊ SUNDEW

◊ VALERIAN

◊ VIOLET

◊ YELLOW DOCK

```
L L U K S A Y A M T R X W
J I A N N O D U T O C U O
F A T I J U E G B A O W B
P P S D K W B O S X A C N
X A F O U V J E N B V Z A
D M A Y N U Y J L W T H E
L I L Y S L N G I A H A L
Y L D T S I E L K M E N S
D C I H N O L E J M O E S
X N M J O A E C S V K I U
K C O L S R E Y M C I R E
M R X T N S Y P T Z O M D
T A O A T Z E O B V O T I
D N Y R N A W K I N I R T
W H O F N E H C I A K D Y
```

◊ CASEY

◊ CESTRO

◊ DAX LO

◊ ERIC MYERS

◊ JASON LEE SCOTT

◊ KAI CHEN

◊ LEANBOW

◊ LILY

◊ MAYA

◊ NINJOR

◊ ROBO JUSTIN

◊ SKULL

◊ THEO

◊ TIDEUS

◊ TRINI KWAN

◊ UDONNA

◊ WILL ASTON

◊ ZHANE

111 Exciting Words

```
E V N E O C V H D E Y B F
A T D T L B E A M S Y U I
A Q W A K E N K E T R H H
L L I R H T P R O O K M K
D J O O O E I M G V G M Y
E C E G T F H O I W O K P
L B V I F U T M U V H R P
D P N V T G P R E D H E P
N G F N N H B S E B M Z T
I B H I Y E Y S E M E R E
K R R E Y A A C B T B G S
K A O Y W Y K M Q O O L A
R H Y S T E R I C A L S E
O O L O Q U A S D C Z M T
I N C I L C H A R G E Z X
```

◊ CHARGE

◊ FIRE

◊ GOAD

◊ HYSTERICAL

◊ IGNITE

◊ IMPEL

◊ INVIGORATE

◊ KINDLE

◊ MOVE

◊ PROVOKE

◊ RARING TO GO

◊ SWAY

◊ TEASE

◊ THRILL

◊ TREMBLE

◊ UPSET

◊ WAKEN

◊ WHET

112 Varieties of Onion

```
S E L U C R E H T D S J S
Y H I K E E P E R U E S L
L R M U R O F G R T R O X
L M T U F K U O S G G B J
A R F N A T S E I Y O C O
B X A M E A T A J E L P K
H A A J N S R N V V D C G
G L L N F C O H A J I J B
U J A F A R Y A Y W T W U
O W A S A T T X S G O P F
T L L B E M Q N Y Z R Q F
V I D C A M U R H G P O A
A E H R W R G W A Z W N L
R G C D B M Q W J H E O O
A O T O N D A M U S O N A
```

◊ AILSA CRAIG   ◊ HI KEEPER   ◊ RED BARON

◊ BRUNSWICK   ◊ HYGRO   ◊ ROSANNA

◊ BUFFALO   ◊ HYTECH   ◊ SENTRY

◊ FORUM   ◊ JETSET   ◊ TONDA
                                 MUSONA

◊ GOLDITO   ◊ KAMAL
                              ◊ TOUGHBALL
◊ HERCULES   ◊ MARCO
                              ◊ TURBO

113   Sports Venues

```
D M U I D A T S M C L U C
Z E B R E R D U O C C J Y
L W J W W J I U A O D A R
O Y E X W S R G L F L G J
O H M B A T E I N D A N Z
P J O N T E S L T C Z I Q
N W M C I E S E G N A R F
L Y N D U D X R C I I L B
G Z N M C Y M I U N B L I
H C G Q R Y K I K O K U U
O A U A I M S U A N C B U
Q B L L C E V T O N E U T
I A T L R V M O S Y D L O
X W Q E B S N O L I V Y K
M F O Y E M O R D O L E V
```

◊ ALLEY	◊ COURSE	◊ LISTS
◊ BOWL	◊ COURT	◊ POOL
◊ BULL RING	◊ DECK	◊ RANGE
◊ CAGE	◊ DOME	◊ RINK
◊ CIRCUIT	◊ GYMNASIUM	◊ STADIUM
◊ COLISEUM	◊ HALL	◊ VELODROME

114 Ghosts

```
M O T N A H P A M P D P J
Q T T G Y T R A S H H E G
Y A N I K B H J G X R I C
A P P A R I T I O N X B O
K J G Z T I U S O U L M P
D F A F B I P D R S A O H
H W E C N E S S E T R Z L
A O E X O R C I S M T M U
U D V W U N N O V Y C B O
N A P R E S E N C E E A H
T H Z A V S D L V E P N G
I S G I A J P Z O T S S I
N J O T O J N O A U O H Z
G I A H F U Y L O M N E N
T H E Q G U P X Y K R E C
```

◊ APPARITION ◊ GYTRASH ◊ SPECTRAL

◊ BANSHEE ◊ HAUNTING ◊ SPIRIT

◊ ESSENCE ◊ PHANTOM ◊ SPOOK

◊ EXORCISM ◊ PRESENCE ◊ VISITANT

◊ GHOST ◊ SHADOW ◊ WRAITH

◊ GHOUL ◊ SOUL ◊ ZOMBIE

115 African Tribes

```
B L W G A N O Z N U H H T
R A G E R A U T N E R A V
D I N K A K F K C N S E S
I F W Y C U G A D J R I M
V C O H A U S A R O E I J
I A H V B R H A L S B R A
Y U W B A Q W O Z I R X R
S B W R W M N A B Y E V E
O S Y R A G A I N B B R B
T E R M N I O S R D E M K
H I L D G H H D A T A T D
O Z V N O Y D N S I J G E
S A T A N Q P I B H I A C
G W D C I K H O I K H O I
F S A N O H S S A T H O U
```

◊ AFARS	◊ HAUSA	◊ ROLONG
◊ ANGONI	◊ IBIBIO	◊ SHONA
◊ BANYARWANDA	◊ KHOIKHOI	◊ SOTHO
◊ BERBERS	◊ MASAI	◊ SWAZI
◊ BETE	◊ MERU	◊ TUAREG
◊ DINKA	◊ PYGMY	◊ YAO

116 Choose

```
Y T E C S U Z N L X B V B
C P N Z T I I W X L C O X
A O I K N R N L S N U I E
P D M E A B E G E D N C Q
P A R I W T X F L V J E V
O H E X E B M M E E K I L
I H T L Y S V C C R O O A
N O E G A X O L T T P U T
T D D J O I Y P U T F Y T
A F K X I G S I O X F I Z
G A C C E P T L I R F Q S
G O G R Z K L J I E P C U
O X F J A A F H E Z I M X
T C R O B K E S U O P S E
Q O E M R R A T I F Y I P
```

◊ ACCEPT

◊ ADOPT

◊ APPOINT

◊ BALLOT

◊ CULL

◊ DETERMINE

◊ ESPOUSE

◊ GO FOR

◊ LIKE

◊ PREFER

◊ PROPOSE

◊ RATIFY

◊ SEE FIT

◊ SELECT

◊ SIFT

◊ SINGLE OUT

◊ VOICE

◊ WANT

```
W E N S N A I D N I J F M
T O O T L E S I D O Y R C
A N K T G X B V H W S S C
N O B O Y S C N A M M P L
O P R G O Y E W E N D Y E
T R E X R H T E V B G L S
G X D T J A N A V C Z R W
N Z S S E P E I O F E U O
I M R S T R I B A R B C R
S J I E H I P R Y T N W D
N N W C V S A A A D P F B
E M N N H A T E N T D A O
K Z A I D A I O F S E E C
D Y N R E G E N R O V S T
R O A P Y U I L I Y W U A
```

◊ CAPTAIN HOOK   ◊ MICHAEL   ◊ PRINCESS

◊ CURLY   ◊ MR SMEE   ◊ STORY

◊ INDIANS   ◊ NANA   ◊ SWORD

◊ JOHN   ◊ NIBS   ◊ TEDDY BEAR

◊ KENSINGTON   ◊ PETER PAN   ◊ TOOTLES

◊ MARY   ◊ PIRATES   ◊ WENDY

People Who Write

R	G	L	R	E	W	E	I	V	E	R	R	N
O	Z	G	B	O	L	D	U	Z	F	L	O	Y
S	Q	J	N	A	I	R	O	T	S	I	H	R
S	T	E	A	C	H	E	R	C	G	N	T	E
E	R	D	C	H	T	S	A	D	T	S	U	T
F	T	I	U	R	G	N	I	X	I	O	A	I
O	E	T	T	O	H	A	E	C	C	Z	R	R
R	O	O	E	N	R	M	I	D	A	F	P	W
P	E	R	S	I	Q	R	V	E	U	V	V	T
D	K	Z	S	C	Y	G	G	B	P	T	E	S
J	P	T	S	L	V	X	H	I	K	O	S	O
P	U	Y	O	E	B	N	F	R	P	R	C	H
T	Z	D	C	R	I	T	I	C	C	M	Z	G
G	L	L	G	A	R	E	T	S	I	N	I	M
H	B	C	L	E	R	K	G	J	K	D	A	Q

◊ AUTHOR   ◊ EDITOR   ◊ POET

◊ CHRONICLER   ◊ GHOSTWRITER   ◊ PROFESSOR

◊ CLERK   ◊ HISTORIAN   ◊ REVIEWER

◊ CRITIC   ◊ JUDGE   ◊ SCRIBE

◊ DIARIST   ◊ LYRICIST   ◊ STUDENT

◊ DOCTOR   ◊ MINISTER   ◊ TEACHER

119   Germany

```
S E B Z R V Z N E L I F L
T N I I G L I W B O D D E
E Z Z N L L M W E N D H T
I H O E R D M C A S F V T
N H U E S Q E L H Z U B U
N D B S N S R D F K T Z B
D J U L E A E R P C T K N
B A C I A E Q N U F E D E
W E I S S L A C K E R O F
T A M M G B A S L N G Z L
P A T A L U U P E N C K O
T O U I O E M R O Z E U W
G C I N E K R L G L L U X
K E S G U G V S D L L I T
H C A B Z S J K A G E Y F
```

◊ BACH

◊ BERLIN

◊ BILD

◊ CELLE

◊ DAIMLER

◊ DUISBURG

◊ ESSEN

◊ FILZ

◊ GAUCK

◊ NOHN

◊ PENCK

◊ SAARLAND

◊ STEIN

◊ TAUNUS

◊ WEISSLACKER

◊ WOLFEN-
  BUTTEL

◊ ZIMMER

◊ ZUSE

```
S A R A V K S I R A S L E
O T L S L E E R H E E T W
R E R I C C E E B M H B H
T A S A B L M K C P C R E
S I L E D M L B U T T O N
M U J E I A L C W H I M I
R S E N H A I P R H T U H
O N G C B R Q E L B S S C
F I B A B C A S Z E E E A
S P Z A R D N L K J A A M
S E F N K M R G E C A T S
E S P A T T E R N D A S S
R L L A E S O N F J O A C
D P S K O O H Z T I A M U
V O M A C H I N S M A E S
```

◊ BUTTON   ◊ HEMMING   ◊ PINS

◊ CHALK   ◊ HOOKS   ◊ PLEATS

◊ DARTS   ◊ MACHINE   ◊ SEAMS

◊ DRESS FORM   ◊ MODEL   ◊ SILK

◊ FABRIC   ◊ NEEDLE   ◊ STITCHES

◊ GARMENT   ◊ PATTERN   ◊ THREAD

121   "FLY..."

```
R E V O B Z F K Q R T E X
R J Y X P L Y C J X N L U
T V K O A T I R B H O L T
O R C H I D S N V E R V L
H G B O Y I P E D J F F L
T K I B O S R F N W T A N
N E H B T S A P J E J X F
G N E Z S E Y Q N G H R H
F I S H I N G T O B J T J
D T Y M S N W V T A A S D
Q N T U E P M S V Y U L P
L B U P S H D T W W A R L
F L O O R O J Q O J W W L
B Y W I R E Q C H B L D A
O I M V M A R N O M Q M E
```

◊ AROUND   ◊ FLOOR   ◊ PAST

◊ AWAY   ◊ FRONT   ◊ RODS

◊ BALL   ◊ HALF   ◊ SHEET

◊ BLIND   ◊ OPEN   ◊ SPRAY

◊ BY WIRE   ◊ ORCHID   ◊ TENT

◊ FISHING   ◊ OVER   ◊ THE NEST

122 Muscles

```
D I O T L E D Y K M I S L
S R Q S U P I N A T O R M
U I T R R O H S S L E T J
I S U B B Q S U E S T R R
D O L I V E X U E O R A O
E R N C T E S H X H S U T
P I U E L I C H O S U D A
A U R P L A A M S U I S N
T S M S R I B E U E N C O
S O U D U O M P J T E A R
C A I L I A C U S U L L P
K A O D T W M L T L P E W
C D E S U T C E R G S N J
O U B S P E C I R D A U Q
S M G W H W Z E N O A S D
```

◊ BICEPS
◊ CARDIAC
◊ COMPLEXUS
◊ DELTOID
◊ GLUTEUS
◊ ILIACUS

◊ MASSETER
◊ PRONATOR
◊ PSOAS
◊ QUADRICEPS
◊ RECTUS
◊ RHOMBOIDEUS

◊ RISORIUS
◊ SCALENUS
◊ SOLEUS
◊ SPLENIUS
◊ STAPEDIUS
◊ SUPINATOR

123   Flowers

```
G H I S T I E N I M S A J
Y I I Q W E R N I M L I U
S R R E D E L W E I S S U
I O B E C S C O L E K T R
A Z V U W B S A I U L O U
D Q B R N O C Z J V A C D
B L U E B E L L M S L K B
E Z V I Y F D F U R A F E
B U I S L S N C N U C M C
L P N N A E O W J U N U K
I A E L L R G V Q V S Y I
T R V O C K Q I P D P M A
S I I U N T T I A P F D S
A S H E J Y N B O K S L J
H K H F M K P P O Y Y H S
```

◊ AQUILEGIA   ◊ IRIS   ◊ RUDBECKIA

◊ ASTILBE   ◊ JASMINE   ◊ SALVIA

◊ BLUEBELL   ◊ LILAC   ◊ STOCK

◊ CROCUS   ◊ PEONY   ◊ SUNFLOWER

◊ DAISY   ◊ PINK   ◊ TANSY

◊ EDELWEISS   ◊ POPPY   ◊ VIOLET

124   Famous Golfers

```
N P F X W C S Y O U M O F
F P L A Y E R B L D A I O
X N H A I R I A L A N L Z
E A A V U I F R S S D V N
I N A G T O A U T T J Z E
R D N G O H P E R Z E M C
E E A F Q H R U N Y A N I
M R O L S W W E F M O I V
O S H W A M A H A R G E E
G O H L O N O W M Y N Y D
T N D A Q X G A H T K U V
N J C S Y S N E U G Q N Y
O N K Q X N Z R R Y N N H
M O R R I S I T M Y S I E
S E N R A B D E R I E I S
```

◊ ANDERSON   ◊ GRAHAM   ◊ NORMAN

◊ BARNES   ◊ HAYNIE   ◊ PLAYER

◊ DALY   ◊ HOGAN   ◊ RUNYAN

◊ DAVIES   ◊ LANGER   ◊ SINGH

◊ DE VICENZO   ◊ MONTGOMERIE   ◊ VENTURI

◊ FINSTERWALD   ◊ MORRIS   ◊ WEIR

```
B A C K S L A P B A A B B
A X B A C K X M U E C A B
C I B A C K O F F K C E K
B B A C K O R D E R C B C
C A B W R T J T D A O A A
B A C K C H A N N E L C B
A A C B L E E H B U P K O
Z A C V S K B A C K O U T
B P R K C B C T B K Z U K
N O C A B K C A B V C N C
W A B K P E C B A C E A A
B A C E Q K A E K C A B B
W A D S S P O T S K C A B
B A Q A B A C K S W E P T
L R W B A C K S T R E E T
```

◊ BACK BACON

◊ BACK CHANNEL

◊ BACK OFF

◊ BACK ORDER

◊ BACK OUT

◊ BACK STREET

◊ BACKBEAT

◊ BACKCHAT

◊ BACK-END

◊ BACK-PEDAL

◊ BACKROOM

◊ BACKSAW

◊ BACKSEAT

◊ BACKSLAP

◊ BACKSTOP

◊ BACKSWEPT

◊ BACK-TO-BACK

◊ BACK-UP

126   James Bond

```
S X M F M E Y T K V K D O
G R I S C H K A R T S C W
K A P F Y H O H J N O Y C
G N B V S W C V O I Q W S
A A E O O N L L R W V I J
D O A A R B A A N R F A S
G M E N C E F C J M M E L
E I D T E L D N A E V I L
T L P D N I T T S E M A F
S C R T G V T B R I R M E
N N Q U N T O I S G K M W
O I R A D N N P O R I Z J
J V V Z D E Z T A P L A V
G O C X U A P T C Z W A U
C A V E O M T K B S I V O
```

◊ DARIO   ◊ JAMES BOND   ◊ MR WINT

◊ DR NO   ◊ JAWS   ◊ NAOMI

◊ FALCO   ◊ KRATT   ◊ NECROS

◊ GABOR   ◊ LARGO   ◊ SEVERINE

◊ GADGETS   ◊ LIVE AND LET   ◊ VIJAY
                   DIE
◊ GRISCHKA   ◊ ZAO
                 ◊ MR KIL

130

Words Derived from Arabic

```
M S S I L K T G F A U G K
W O H T I A S R I X I L E
U H H V R Z A L G E B R A
M F E A E S K M P A C C S
V T C N I C E X S F U W W
E V I S N R C S Q N I Z L
B T Z E A A E M P N B A E
H L I H O R Q R A T L O B
U J I S T J G U I T A R B
Z W D T A C O X L D D O N
Z E A A L C H E M Y A S O
B M R V D A R A W H L N M
Q J A O E G N A R O V J E
R E U Q C A L E M O E N L
R Y S S O R T A B L A N F
```

◊ ALBATROSS	◊ GUITAR	◊ MATTRESS
◊ ALCHEMY	◊ HAREM	◊ MOHAIR
◊ ALGEBRA	◊ HENNA	◊ NADIR
◊ CARAT	◊ LACQUER	◊ ORANGE
◊ ELIXIR	◊ LEMON	◊ ZENITH
◊ GAUZE	◊ MARCASITE	◊ ZERO

128　Flying Machines

```
R O I Q F Q M G U A T Y Q
P E H R Q A I K K O N H G
L G T W E U L O C I N I S
G Z R S J P B A L L O O N
S L E X A B P E C O E M Z
P R I Y Q C P O D U H Q K
A O R D J P N A H Y E W D
C C R P E C N A D C A T P
E K A Z O R D R L H E M H
C E H R O H O R T J I Y A
R T D T E P V H O L X V T
A E H Y L E G B B N W P Z
F E G A R I M V N I E G H
T G N O N U S P U T N I K
G E B X J U M P J E T J D
```

◊ BALLOON

◊ BLIMP

◊ CHOPPER

◊ CONCORDE

◊ DRONE

◊ GLIDER

◊ HARRIER

◊ HYDROPLANE

◊ JUMBO JET

◊ JUMP JET

◊ LANCASTER

◊ MIRAGE

◊ NIGHTHAWK

◊ ROCKET

◊ SPACECRAFT

◊ SPUTNIK

◊ TORNADO

◊ ZEPPELIN

129   Building

```
J P O T Y E C X D D I D O
O T U F V R T I W R S M E
T T B C A A A Q T H A J T
H R V E H S E R U T X Y I
R M T M L G R T B N A X X
O G U L L F T N U I U X E
T R I Q U E R S B L L V O
U S Y R R S U Y S P O T C
N L J I D R E S U C N L S
D O N N S E O C L E V H N
A G N V C E R A I V O A X
N G N L J R E T D V P M O
S I W S A M E G N S R D B
E A R M O T Y C E W A E U
G R R D A R H I A D G V S
```

◊ ALCOVE   ◊ EXIT   ◊ ROADS

◊ APSE   ◊ GIRDER   ◊ ROTUNDA

◊ ATTIC   ◊ LATH   ◊ SERVICES

◊ BELFRY   ◊ LIBRARY   ◊ SHUTTERING

◊ DADO   ◊ LOGGIA   ◊ SILLS

◊ DOME   ◊ PLINTH   ◊ YARD

130   Weighty

```
T L Y E Z N E K G L Q N T
Z H V L O T J V Y G M A Y
A Z A C O R A X N E E F L
I H E A F A E I L R N H D
U N H L Y O D O G Y A M H
K C F K U D S E S T C A E
E K L L O E W T D F L S P
H U F L U Y R Y S E U S S
B U P G A E D A G H M I E
D L Q R S C N L Y Z S V R
L Z L S K N I T E G Y E I
V A F A Q Q H T I I V Z O
D U R U T G A U I A W Q U
L N N G I I J M R R L N S
M E J M E D V G T F C H U
```

◊ BULKY   ◊ HEFTY   ◊ PLODDING

◊ CLUMSY   ◊ INFLUENTIAL   ◊ SERIOUS

◊ CRITICAL   ◊ LARGE   ◊ SOLEMN

◊ GRAVE   ◊ LOADED   ◊ STRESSFUL

◊ GREAT   ◊ MASSIVE   ◊ UNWIELDY

◊ HEAVY   ◊ MIGHTY   ◊ VITAL

131 Agitation

```
T  L  U  M  U  T  P  C  T  J  J  S  C
F  B  V  T  X  P  S  K  N  F  S  S  H
Y  T  E  I  U  Q  S  I  D  E  P  G  U
T  D  C  U  I  R  E  R  R  A  N  A  R
E  R  N  P  R  L  N  T  B  I  H  M  N
I  P  L  H  U  I  S  I  T  G  Z  O  I
X  R  I  E  T  I  S  A  N  W  M  B  N
N  E  L  A  D  T  E  S  R  G  Y  O  G
A  T  D  V  W  B  L  M  I  X  I  N  G
V  S  D  A  N  E  T  G  H  T  I  A  Y
A  U  Q  L  S  Y  S  L  C  S  U  R  I
U  L  T  D  L  U  E  U  S  N  R  Q  X
K  F  A  X  F  V  R  O  U  O  J  R  T
T  S  E  R  N  U  T  C  W  A  V  Z  C
J  T  C  A  M  P  A  I  G  N  I  N  G
```

◊ ALARM

◊ ANXIETY

◊ BEATING

◊ CAMPAIGNING

◊ CHURNING

◊ CRUSADE

◊ DISQUIET

◊ DISTRESS

◊ FLUSTER

◊ MIXING

◊ RESTLESS-
  NESS

◊ RUCTION

◊ TOSSING

◊ TUMULT

◊ TURNING

◊ UNREST

◊ UPHEAVAL

◊ WORRY

132　Resolutions: Things to Give Up

```
S J X M G G N I T T E B H
R E N I E N F L U B M C S
A I S N E L I P G P O E C
G R I Q Y T T N U L P P A
I W O V Z D I D A D F A K
C S V M V T R V X O N X E
C O M P U T E R G A M E S
S Z R O S U G U M A E R C
R Q H U O R A C A B G K V
E S G W C R L A X S E R O
G A W V D G T L P P R E E
R G N I Y T R A P I G M R
U F M L H R N U H H O N F
B G X V T G N I H C T A W
X H D R A T S U C B O E R
```

◊ BEER

◊ BETTING

◊ BURGERS

◊ CAKES

◊ CHAT ROOMS

◊ CHIPS

◊ CIGARS

◊ COLA

◊ COMPUTER GAMES

◊ CREAM

◊ CUSTARD

◊ LAGER

◊ MOANING

◊ PARTYING

◊ SHOUTING

◊ SUGAR

◊ WATCHING TV

◊ WINE

133 "END" Inside

```
Y D N E R R M E N D Y D C
D N E H E E N D A C L M O
D I O D C D D C O D A M
W E N D T A N N D D N D M
S E D X N E L N E H E N E
R L B N G E E E C T I E N
E E E A E U C G N S R D D
F B D N N F B S E D F D A
E G E N D A R M E N A A B
R E I N E E T N M R D R L
E N E F D M R R E N C E E
N D J G C I E P E N D K R
D T E N D E N C Y N D N B
U J E U B R X G J U D W E
M S D N E E D C E N D Y E
```

- ◊ ADDENDA
- ◊ AGENDA
- ◊ BENDING
- ◊ CALENDAR
- ◊ COMMEND-ABLE
- ◊ CRESCENDO

- ◊ FENDED
- ◊ FRIENDLY
- ◊ GENDARME
- ◊ GENDER
- ◊ INNUENDO
- ◊ MENDER

- ◊ REFERENDUM
- ◊ RENDER
- ◊ SLENDER
- ◊ TENDENCY
- ◊ TENDER
- ◊ TRENDY

134   Children's Book Characters

```
V V I D P M W U T T Y U O
C I G N A F E T I H W S I
B H Z P Z S S C B T O Z H
T A I X I N E O H P N K C
W E D C K E H P E R S I C
G U I G K P O I D E R A O
I K E C E E L C M J G Y N
P N H F E R N R C N E A I
A Z M Y A Y T L A O N A P
P U O H N O D K I G N L W
P R C N A L U D A C S I I
E Z A D C T Q Q O M K C E
P D O O L A B R A N M E L
M R T W O C F U M W O E N
J U O P K W G A K R A T Z
```

◊ ALICE

◊ BADGER

◊ BALOO

◊ CHARLIE

◊ CHICKEN
  LICKEN

◊ DANNY

◊ EEYORE

◊ HEIDI

◊ KANGA

◊ MR TOAD

◊ NODDY

◊ PEPPA PIG

◊ PHOENIX

◊ PINOCCHIO

◊ SMAUG

◊ SNOWY

◊ TARKA

◊ WHITE FANG

 138

135   Glaciers

```
F L E H S C S R D C L T D
O U T L V T A K L D D F R
J R S R I C B N K Y Y N Z
T R P X D A E X T N A H G
L W E S T F O R K W A G C
A E A U G D L P E T E R S
L L R D D L I H G R P L Y
Z A H O O T C E G A M G L
W Y E G E T L E R M G Z Z
S H A F A T T H E C T O R
S N D K R I K D G Q K B G
U N S D R A N R A B A R X
C A O E A W M J P O U O U
S N O R R E H R G T Q L C
T Y Y Q E L W N H P S T K
```

◊ BARNARD

◊ BATURA

◊ CANTWELL

◊ EXIT

◊ GERGETI

◊ HECTOR

◊ HERRON

◊ LOGAN

◊ PETERS

◊ REID

◊ RUTH

◊ SASKATCHE-
WAN

◊ SHAFAT

◊ SHELF

◊ SPEARHEAD

◊ SQUAK

◊ WEST FORK

◊ YALE

```
C T H E A M A R E I I N K
O S K Z D O D B S A O N O
R R H I P E C U I L P R I
N I O O Q E N E D H A B F
H F D B W S A D A T V E P
U Z T L H M O C S N I E G
S Y B I D M E E H V L H H
K G N V I B N P P I V I X
E E R N T O E R C G S V D
R S I A L O H A O L S E R
C O V W N W N I V Z L O T
N C O Y W I R R G E F U H
B B A N Y L T I E D R N O
C B N T T T L E M P I R E
U E E R U S A E R T Z L L
```

◊ ALOHA

◊ BAY

◊ BEAVER

◊ BEEHIVE

◊ CORNHUSKER

◊ EMPIRE

◊ FIRST

◊ GEM

◊ GRANITE

◊ LONE STAR

◊ OCEAN

◊ OLD DOMINION

◊ PEACH

◊ PELICAN

◊ PRAIRIE

◊ SHOW-ME

◊ SUNSHINE

◊ TREASURE

137　Things That Can Be Driven

```
X U O A P C T I S W S E U
F N P U Z X C L Z T N Y K
M C Y T P F I I A N O E P
I O E O M A E K I M W E G
V E T M N M E A L L E C G
N L E O C L R O L H C N D
V T N B R T D A S L A M N
C T G I L C B V O A P E D
S A I L M F A U J R X H N
D C N E L R D R I O K C Z
E A E O L S U N J S C A M
S E G D I R T R A P U O U
I T G T E E L S Z K R C S
R P L J R N L P B E T H L
E U J F Q I E U E U N F K
```

◊ AUTOMOBILE ◊ GOLF BALL ◊ SHEEP

◊ CATTLE ◊ MOTOR CAR ◊ SLEET

◊ CLOUDS ◊ NAILS ◊ SNOW

◊ COACH ◊ OXEN ◊ STAKE

◊ DESIRE ◊ PARTRIDGES ◊ TRAIN

◊ ENGINE ◊ PRINTER ◊ TRUCK

138 Ports of the World

```
L A M A R T E T T P G J J
R L Y A D H V C B A A K O
E C U E G G U R B E E Z S
V O O H X Z I D A C B R M
U M C H X S G A Q A B A M
O P T O T H O M S G L O M
C O T O B N M S H C D I F
N R L G E H B T Y U Y X S
A T Q G L M E E B D T U Q
V S Y K E V Q R A L N A T
E M R T M A O D P M U E N
U O C X C V N A B R U D Y
C U Z R N F N M M S A R P
A T E I W V K T D M N O F
E H K B P R E W T N A B M
```

◊ ACRE

◊ AMSTERDAM

◊ ANTWERP

◊ AQABA

◊ BELEM

◊ BORDEAUX

◊ BRISTOL

◊ CADIZ

◊ COBH

◊ CORK

◊ DUBROVNIK

◊ DURBAN

◊ GENOA

◊ HULL

◊ PORTSMOUTH

◊ SYDNEY

◊ VANCOUVER

◊ ZEEBRUGGE

Solutions

1

2

3

4

5

6

7

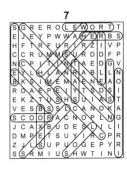

8

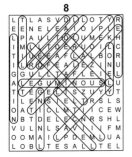

Solutions

9

10

11

12

13

14

15

16

Solutions

17

18

19

20

21

22

23

24

Solutions

25

26

27

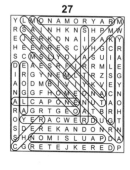

28

29

30

31

32

146

Solutions

33

34

35

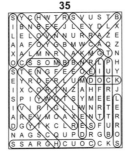

36

37

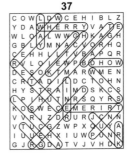

38

39

40

147

Solutions

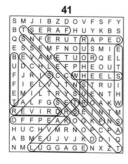

43

44

45

46

47

48

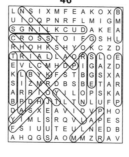

Solutions

49

50

51

52

53

54

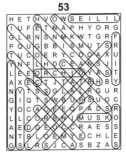

55

56

149

Solutions

57

58

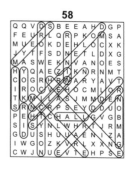

59

60

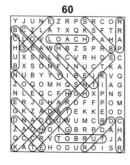

61

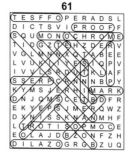

62

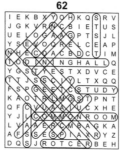

63

64

 150

Solutions

65

66

67

68

69

70

71

72

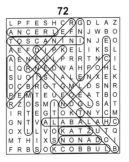

 151

Solutions

73

```
L Z R X M L J J P V G M T
C H A B A T X F L D L E D
R S M E D I I Y O B Y X L
U I H B D X C O N W D T I
R B O I R O G Z J M E G U
E R W F B E K X A A M B B
C U R B K C E I E Q E Q E
O F A V N I R H R H R
N E M A O T Y P U M M I P
D R I R A T O U C H U P N
I C P I D R M W Z D W D R
T M N O J E E E N J K O A
I H Z H U J W S F M E N D
O P E C S I F R E S H E N
N I X N T G V L C L U P H
```

75

```
R R W A Y G W G S A P J C
S O M T O U C H D Y X A L
I S T A B L E W I I N K I
N E S R W G Q Q T K M U
L T N R E E S E B Z I M
X T H M O T N R J Z Q N A
Y E E Z S T R A I N I N G
P H E O Y L A H E D G E U
R B P R S U T V L E R G
Z E E S N V S C V K R G
S Z F R K S D A E K Y U
S N R J T C T I D P W X
G G U S J I O Y Z D S L
J W Z X X A X Q L L M L E
K Z J Y P K L I U C E S E
```

74

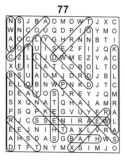

```
I Y Z A T Z N R R U J K L
T N E M S S E S S A F S F
P Z L Q F K Z V O A Y E B
E X A M I N A T I O N D A
S T U D Y D E L P A P E R
R O T A L I G I V N D R
E O Y Q E N A J Y H I T A
A S I L E N C E S A I E
D T X D S K V Z C R E M Y
I Y A W R R T I H E L E F
N R E C U A P U O P X T O
R L S H L G W O O Z A D
S X X R A S M L R Y B N
O X Z N E A I F C T L L E
X K E Z H R K R N T J E K
```

76

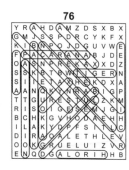

```
Y R A H D A M Z D S X B X
G M J S S P D R C Y K F X
K I R M P O J D G U V W E
F A C A R A N A B J D E
O A S N P R E K A X X D Z
S S K B T B W N I G E R N
S I I E T A X H E K D X A
A A N Q K Y N R A B I G P
T T G U R E S T U L Z K M
R I S O G S S E M I G I
B C H K G V H O D A E H
I L A K Y D P F S I L C
D I R A A L E T H L E V
O O K G R U E L U I Z V R
E N Q D G A L O R I H H B
```

77

```
N S J B A O M O W T J X C
W N C O U Q D P I G Y M O
A O C L Y G H R N N B T I
Y O T U I S E Z F I J Q K
C Z L L I D W M E Z Y A C
X E I L A T L O B O L T O
B S U A U M J D R O J B L
E L Q B N W P N K D J T C
D E A Y O S J R E Y J Q M
S X Q N A T Q H A I A M R
P S Q P K E G V U Y E R A
R J C S S E N I R A E X L
E E J N I H T A X L X R A
A H S O A S G B A T H W S
D T F T N Y M X S I M J O
```

78

```
D C U K J X M L Q B S E E
V E L E K S W W S T L N C
S P R T C S I F L H X E A
M H A A F I D G E T A B P
S L R L T C W K H L W K G
C G V U O S R F S Z D K E
O T A C G V G G C N E Q B
W Y O I H F S L E A G H G
L N E T T C J B O T P A I
H S A S R W U P U W Z U C
Z G U E E J O O X E E S J
J K U G M D V U G M R P
X E H A B D J T R I A E E
T T P H L R I J K P L
T P R R E R N E N W A Y R
```

79

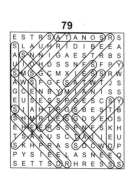

```
E S T R S A T A N O S R S
S L A U H R I D I B E E A
A S N N I G A E S T R B S
U O H D S S N F S S F P Y
S M G C M X L E S S R W
A W S F G F S A T Y T J S
G C E N B Y M A N I S S
E U S E S S P C E S C G Y
S A H T G S B E S T B
S H M R L E S G D S E O S
E E E R S P N F S K H
T S A U S C D A I E U
S K H P R A S S D C W D P
P Y S I E E L A S N E E Q
S E T T S D R H R E S S S
```

80

```
I H G X Q H O L A A N C D
K Z A R D D X L I U M T V
U W D O E R P T S K O I
Z A L K A E T N N C O O L
D K A N N O N I E F Y I
A B S Y L B O R A C P B G
M M N R G A R B A N Z O
O T O X R H K Q X A Z M Q
R B W L W B J A V Q D Y M
E V P A E W C Y L U E A O
T L E O G D B W P N M V Y
T S A E M A M A D E A A X
U D E H C D B I F L Q F C
B G V U D X K Q K B R A Z
L Z N F I L Q I P U L S E
```

Solutions

81

82

83

84
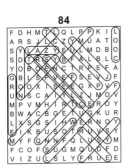

85
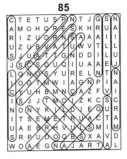

86

87

88

153

Solutions

89

90

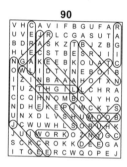

91

92

93

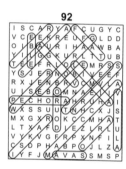

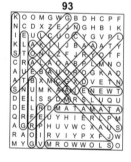

94

95

96

Solutions

97

98

99

100

101

102

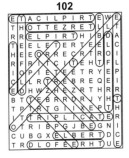

103

104

155

Solutions

105

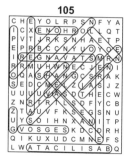

106

107

108

109

110

111

112

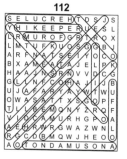

Solutions

Solutions

121

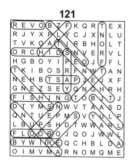

122

123

124

125

126

127

128

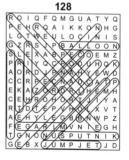

158

Solutions

129

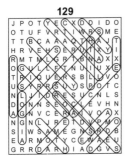

130

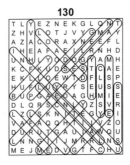

131

132

133

134

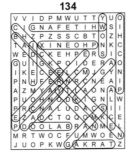

135

136

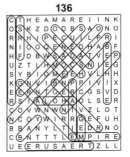